JN066001

# 30 時間でマスター

## マスター

### Windows 11
対応

# Excel VBA

実教出版

# 30時間でマスター
# Excel VBA
# もくじ

本書は2022年10月時点のバージョンをもとに作成されております。お使いの環境によって掲載されている画面と同じにならない場合もございますので、あらかじめご了承下さい。詳しくは、5ページの本書の使い方をご一読下さい。

Windows、Office2021は、Microsoft Corporationの、
その他、本書に掲載された社名および製品名は、各社の
商標または登録商標です。

## 参考一覧

# 本書の構成と使い方

　本書は、日常 Excel を使っている方を対象として、「VBA を利用してさらに Excel を便利に使う」ことを目標に編集されています。第 1 章から順に学ぶことにより、手動では何度も行わなくてはならなかった作業を自動化したり、複雑な操作をボタン 1 つで実行したりできるようになります。プログラム利用・作成の初心者でも、例題の実習を通して基本事項を学べるように、さらに練習問題や実習問題を通じて確実に学習内容が定着するように配慮しました。

　本書は Excel 2021 を用いて学べるように編集されています。

　なお、Excel そのものの操作については詳しい説明は省略していますので、Excel の操作方法などは弊社発行「30 時間でマスター Excel」シリーズを参照して下さい。

## 本書の構成

### ●第 1 章　VBA の基礎
　VBA 初心者の方に向けて、「VBA とは何か」から基本的なマクロの作成までを解説します。

### ●第 2 章　記録マクロの利用
　記録マクロを利用すると、ふだん行っている Excel の操作をそのまま記録して自動的に行わせることができます。第 2 章では、簡単な名簿（データベース）を題材に、記録マクロとその改善方法について学びます。

### ●第 3 章　ワークシートを便利にするマクロ
　Excel の関数やグラフ作成機能をマクロにすると、繰り返し作業が簡単にできるようになります。第 3 章では、Excel を実務で使っている人が最もよく使う「VLOOKUP」関数を使った処理を自動化していきます。

### ●第 4 章　さまざまなコントロール
　VBA では、さまざまなボタンなど（コントロール）を Excel のシート上やフォーム上に貼り付けて、そこをクリックするなどしたときに、マクロを実行したり、値を入力したりすることができます。第 4 章では、よく使われるコントロールを初歩から解説します。特に、プログラミング言語 VB と共通する内容ですので、VB 検定受検者は必ず目を通して下さい。

### ●第 5 章　コントロールを利用したマクロ
　第 4 章で学んだコントロールを Excel の機能とうまく組み合わせると、広がりのあるマクロが作成できます。第 5 章では、関数やシートの扱いなどをコントロールを利用して行う方法を学びます。

### ●第 6 章　簡単なシステムの作成
　これまでの学習の総まとめとして、音楽ダウンロードサイトの売上管理システムを作成します。手順を追って作成していけば誰でも必ずできますので、ぜひ挑戦して下さい。

### ●付録
　**VBE での入力のポイント**…VBE（Visual Basic Editor）は、VBA 専用のエディターで、便利な機能がたくさん用意されています。このページを参考に効率よくマクロを入力して下さい。

　**プログラムのエラーを修正するには**…マクロを作成しても、ふとしたことでエラーとなり、実行できないことがあります。このページでは、そんなときのためにエラーを修正する方法を解説しました。自分でつくったマクロが動かないときは、このページを参照して下さい。

　**VBA の基礎知識**…本書の学習を一通り終えたあとは、オリジナルマクロの作成に挑戦されることと思います。まずは、本書で学んだマクロを改造して自分用のマクロにしてみましょう。改造中にわからないことがあったら、このページを参照して下さい。

## 本書の使い方

### ● Office2021 と Microsoft365

　本書は、2022年10月時点のバージョンをもとに作成されています。掲載画面はすべてOffice2021のものです。記載されているOffice2021のリボンの形状などは、使用する環境により、ほかのOfficeのバージョンやMicrosoft365と違いがある場合がありますが、操作上大きな影響はございません。ただし、Microsoft365は、常に最新の状態にアップデートされるため、今後大きな影響が出る可能性もあります。このような仕様変更に関するお問い合わせへの対応はいたしかねますので、あらかじめご了承下さい。（2022年10月）

### ● 本書に関するお問い合わせに関して

○正誤に関するご質問は、下記のいずれかの方法にてお寄せ下さい。
・弊社Webサイトの「お問い合わせフォーム」へのご入力。
　https://www.jikkyo.co.jp/contact/application.html
・「書名・該当ページ・ご指摘内容・お名前・住所・メールアドレス」を明記の上、FAX・郵送等、書面での送付。
　FAX：03-3238-7717
○下記についてあらかじめご了承ください。
・正誤以外の本書の記述の範囲を超えるご質問にはお答えいたしかねます。
・お電話によるお問い合わせは、お受けしておりません。
・お問い合わせ内容によっては、お返事を差し上げられない場合がございます。
・お問い合わせ受領からお返事までお時間を頂戴する場合がございます。回答のご催促には返信いたしかねますことをご了承下さい。

### ● 本書で使用するデータについて

本書の関連データが弊社Webサイトからダウンロードできます。
https://www.jikkyo.co.jpで本書を検索して下さい。

# 第1章

# VBAの基礎

## 1 VBAとは

### 1 表計算ソフトとマクロ

ワープロ、データベース、画像処理、ゲームなど、パソコンで利用するソフトウェアには多種多様なものがある。

さまざまなソフトウェアの中でも、代表的なものの1つが表計算ソフトである。早くて正確な計算や集計、グラフも簡単に作れる表計算ソフトは、ビジネスから教育まで幅広く使われている。

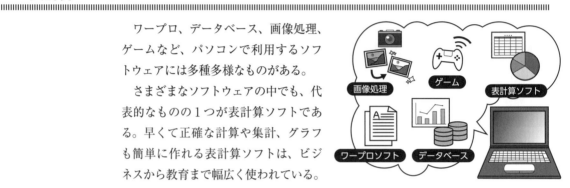

表計算ソフトが登場した当時から備わっていた機能がマクロである。

マクロは一言でいうと、頻繁に使うキーボード操作やマウス操作、あるいは複雑な処理などを自動化できるようにあらかじめ表計算ソフトに登録しておき、必要なときにそれを呼び出して実行する機能のことである。

### 2 VBA の登場

VBAとマクロはほぼ同義語として用いられることが多い。
また、VBAプログラムということもある。

以前までのマクロの記述方法は、メニューに割り当てられたショートカットキーを使って作成するものが主流であったため、ソフトウェアのメーカーごとにマクロの記述方式が違っていたり、同じメーカーの製品でも、表計算ソフトのマクロは他の製品のマクロには流用できないなどの不便さがあった。

1997年にMicrosoft社から発売されたOfficeに搭載されたマクロがVBAである。

VBA は Visual Basic for Applications の略で、Windows 対応のアプリケーション開発のためのプログラミング言語 Visual Basic Ver.6.0 をもとにした、マクロを作成するための言語である。

VBA は、以前までのマクロと違って次のような特徴がある。
①ソフトが違っても、Office系に含まれているソフトであれば、ソフト固有の処理をのぞき、同じ考え方でマクロを作成できる。
②マクロを作成する環境（画面など）が統一されている。

③マクロの記述に、以前までのようなショートカットキーを利用する方法を採用せず、オブジェクト指向やイベント駆動の考え方を取り入れている。

　これらのことにより、プログラミング技術を利用した、汎用性の高いマクロの作成が可能となっている。

## 3　本書で学習できること・VBAでできること

### 記録マクロの利用（第2章）

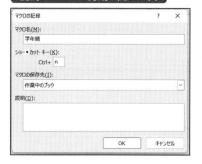

### 表計算ソフトでのシステム開発（第3章・第6章）

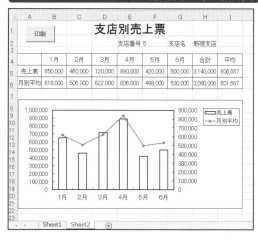

### オブジェクトの利用（第4章・第5章）

# 4 VBA を利用する前に

Excel2021 では、マクロの作成や編集、実行するための命令（コマンド）などを選択するリボンが、標準では表示されないようになっている。そのため、次の操作で、VBA を利用するための環境を準備する必要がある。

① Excel を起動し、「ファイル」タブをクリックし、**「オプション」**を選択する。

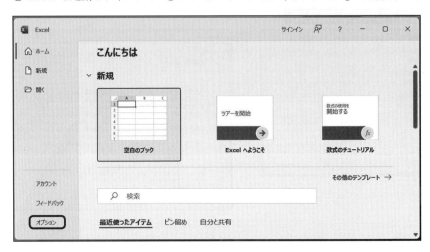

②表示されたダイアログボックスの**「リボンのユーザー設定」**をクリックし、**[開発]**にチェックを入れ、OK をクリックする。

③リボンに**[開発]**タブが表示される。

④[開発]タブー＜コード＞ー[マクロのセキュリティ]を選択する。

⑤表示されたダイアログボックスの「**マクロの設定**」→「**マクロの設定**」の中の
「**VBA マクロを有効にする…**」を選択する。

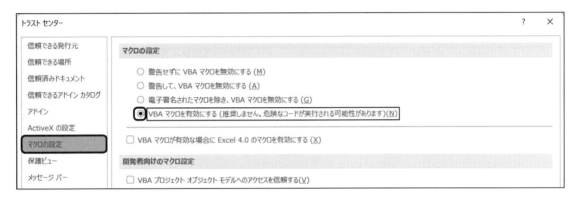

⑥ ［OK］をクリックし、ダイアログボックスを閉じる。

　　VBA は、複雑な処理の自動化ができるなどユーザーにとっては大変便利な機能
である反面、プログラミングの技術を利用しているため、画面上は何も変化がない
状態や利用者が気がつかない状態で処理が進んでいる場合もある。

　　悪意を持ったプログラマによって作成されたマクロの中には、勝手にファイルを

マクロウイルスという。

削除してしまったり、システムに致命的な影響を与えてしまうものもある。そのため、
マクロの設定やセキュリティレベルが変更できる［開発］タブは、標準で表示され
ないようになっている。

### マクロの設定

　マクロのセキュリティレベルを変更したことで、現在使用している Excel は、本書で学習する内容
以外のマクロも実行可能状態になっています。マクロが含まれているファイルは、そのファイルが安全
であることを開く前に十分に確認して下さい。（拡張子が表示されている場合、マクロを含んだファイ
ルの拡張子は xlsm になっています。）

　安全のため、学習が終了した時点でセキュリティレベルをもとにもどしておくことを推奨します。

# 2 VBAを体験しよう

**例題 01**　入力されている文字を、太文字と斜体文字に変更する手順をマクロ化することで、マクロを作成する一連の手順について学習しよう。また、マクロの意味や考え方も学習しよう。

## 今回作成するマクロ

B3 のセルを選択して、入力されている文字を太文字と斜体文字に変更する手順をマクロ化する。　　　　　　　　**（ファイル名「例題 01－文字種変更」）**

| B3 | ▼ | ⋮ | ✕ ✓ fx | こんにちは | | | | |
|---|---|---|---|---|---|---|---|---|
| | A | B | C | D | E | F | G | H |
| 1 | | | | | | | | |
| 2 | | | | | | | | |
| 3 | | こんにちは | | | | | | |
| 4 | | | | | | | | |

## 1 通常の処理を整理するとマクロになる

Excel を起動し、B3 のセルを選択して文字を入力後、**[ホーム]タブ**の中から、**B**（太字）、**I**（斜体）をクリックすると、文字の種類を変更することができる。

例題の内容を、通常の Excel 操作ではどのように処理するか整理してみよう。（すでに「こんにちは」は入力済みの状態とする。）
① B3 のセルを選択する。
②**[ホーム]タブ**の **B**（太字）をクリックする。
③**[ホーム]タブ**の **I**（斜体）をクリックする。

通常の文字の種類を変更する処理は、整理すると以上の 3 つの内容があることがわかる。この①〜③の処理内容が、マクロそのものを意味している。つまり、処理内容を整理して記述すれば、それがマクロになるといえる。

とはいえ、マクロをそのまま日本語の文章で記述することはできない。マクロは、マクロを記述するための VBA の文法にしたがって記述する必要がある。しかし、VBA の文法についてはまだ詳しく学習していないので、処理内容を自動的にマクロに変換する機能を利用してみよう。

次の作業の前に、B3 の文字の変更をもとにもどして、セルポインタは B3 以外のセルを選択しておく。

## 2　マクロを記録する

次の手順で操作しよう。

①[開発]タブ−＜コード＞−[マクロの記録]を選択する。

②画面上に次のような「マクロの記録」ダイアログボックスが表示される。

ここに、これから記録するマクロの名前などを入力する。

| マクロの記録 | ? | × |
| --- | --- | --- |

マクロ名(M):

Macro1

ショートカット キー(K):

Ctrl+

マクロの保存先(I):

作業中のブック

説明(D):

OK　　キャンセル

③ここでは、マクロ名（M）に「例題1」と入力して、OKをクリックする。

| マクロの記録 | ? | × |
| --- | --- | --- |

マクロ名(M):

例題1

ショートカット キー(K):

Ctrl+

マクロの保存先(I):

作業中のブック

説明(D):

OK　　キャンセル

④[開発]タブの[マクロの記録]が[記録終了]になっていることを確認する。

⑤これで、マクロを記録する準備が整ったので、マクロとして記録する3つの処理（B3
のセルを選択し、「**太字**」と「**斜体**」アイコンをクリック）を実行する。

※「**太字**」、「**斜体**」のアイコンは[**ホーム**]タブにあるので、アイコンをクリック
する前に[**ホーム**]タブを選択しておく。

⑥[**開発**]タブ－<コード>－[**記録終了**]を選択する。

以上で、マクロの記録の作業は終了となる。

アンダーラインは、
[ホーム]タブ→U
（下線）アイコンをク
リックする。

練習 01

D3のセルに「さようなら」と入力後、D3のセルを選択し、アンダーラインをつ
ける処理をマクロとして記録してみよう。（マクロ名：練習）

# 3 記録したマクロを実行する

次の手順で、記録したマクロを実行する。これからの操作を行う前に、B3の文
字の変更をもとにもどしておく。

①[**開発**]タブ－<コード>－[**マクロ**]を選択する。

②「マクロ」ダイアログボックスが表示される。ここには、すでに登録されている
マクロ名の一覧が表示されるので、「例題1」を選択し、 実行 (R) をクリックする。

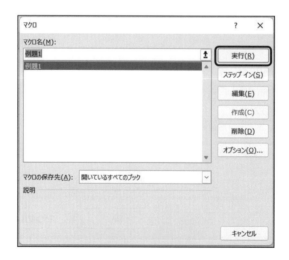

③マクロが実行され、文字の種類が変更される。

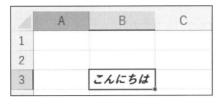

**練習 02**　　マクロ名「練習」を実行してみよう。

## 4　記録したマクロはどこに

マクロを実行したことで、マクロが正しく記録されていることがわかったが、いったいマクロはどこに記録されているのだろうか。

**Visual Basic Editor**
VBE ともいう。

マクロは、通常の Excel 画面からは確認することができない。マクロの記述や、編集するためのソフトウェア（Visual Basic Editor）を起動する必要がある。

①**[開発]タブ－＜コード＞－[Visual Basic]**を選択する。

Visual Basic Editor
の画面構成は、P.15
参照

② Visual Basic Editor が起動する。（この状態では、まだ記録されたマクロは表示されていない。）

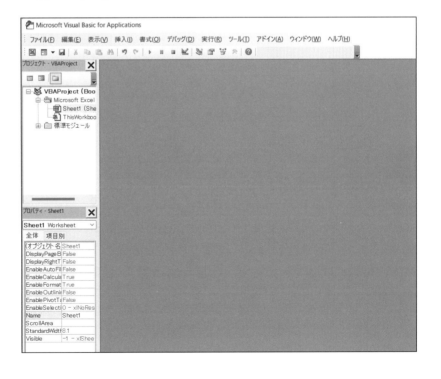

③画面左側の「標準モジュール」の前の+記号をク
リックすると「Module1」が表示されるので、
「Module1」をダブルクリックする。

コードウィンドウは
「マクロ」ダイアログ
ボックスで「編集 (E)」
をクリックして表示さ
せることもできる。

④画面の右側に**コードウィンドウ**とよばれる記録したマクロが記述されている画面
が表示される。この画面で、記録されているマクロを見ることができる。

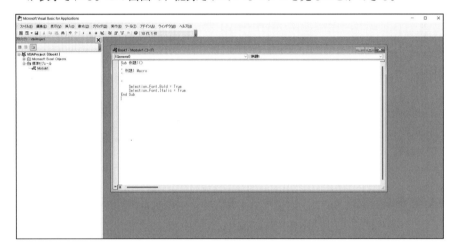

 **Module2 が表示されたら**

　「標準モジュール」の下に、Module2 や Module3 が表示されることがある。
これは、マクロが別々の場所に記録されたためで、実行には支障はない。

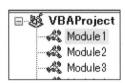

　「例題1」マクロの記録の後、すぐに「練習」マクロを記録すると、2つの
マクロは同じ Module1 に記録されるが、一度 Excel を終了し、あらためて
Excel を起動して、そのブックを呼び出して「練習」マクロを記録すると、「練習」マクロは Module2
に記録される。この場合、Module2 をダブルクリックすれば、「練習」マクロの記述を見ることがで
きる。

# 5 Visual Basic Editor（VBE）の画面構成

Visual Basic Editor（VBE）の画面構成は、次のようになっている。

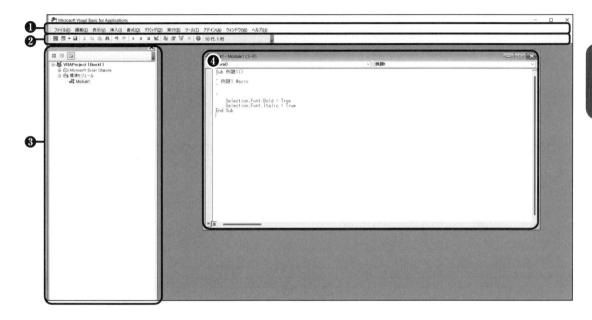

**❶メニューバー**

Visual Basic Editor で使用する命令を選択する部分で、それぞれの命令をクリックするとプルダウンメニューが開くようになっている。

**❷ツールバー**

Visual Basic Editor で使用する命令をアイコン化したボタンが並んでいる。

それぞれのアイコンがどのような働きをするかわからないときは、マウスをアイコンに重ねると、左のように簡単な説明が表示される。

**❸プロジェクトエクスプローラ**

現在作業しているブックの構成を表示する部分。

**❹コードウィンドウ**

記録したマクロが記述されている画面。この画面上で、直接マクロを入力することもできる。

# 6 マクロの意味を考える

コードウィンドウを見てわかるとおり、1つのマクロは、Sub から End Sub まで
で構成されている。これを**プロシージャ**という。

```
マクロの構成      Sub マクロ名（）
                    マクロの内容    ⎫
                                    ⎬  プロシージャ
                 End Sub            ⎭
```

　マクロの内容は、VBA の文法に準拠して記述されている。例題1では、文字の
種類を変更する処理をマクロ記録機能を用いて自動的に VBA の文法に変換した。
　このように記述されたマクロのことを、**コード**や**VBA プログラム**と表現すること
がある。では、記述されたマクロの内容を見てみよう。

Visual Basic Editor
の設定によっては
Option Explicit が 1
行目に表示されること
がある。これについて
は、第 4 章で学習する。

```
Sub 例題1()❶
'❷
' 例題1 Macro
'
'
    Range("B3").Select❸
    Selection.Font.Bold = True❹
    Selection.Font.Italic = True❺
End Sub❻
```

Range
Select
Selection
Font
Bold
True
Italic

**❶ Sub 例題 1( )**
　例題 1 マクロの始まりを意味する
**❷ コメント行（'から始まる 4 行）**
　マクロの実行には関係ないメモなどを記述する行を**コメント行**といい、「'」
記号に続けて記述する。コメント行は緑色で表示される。また、空白の行も実
行には影響を与えない
**❸ Range("B3").Select**
　「セル B3 を選択」を意味する。VBA ではセルの位置を Range("セル番地")
で、選択することを Select で表現する
**❹ Selection.Font.Bold = True**
　「選択されたもののフォントの太字を有効にする」を意味する。選択されたも
の（Selection）は直前の「Range("B3").Select」を意味するので、ここ
では、「セル B3 のフォント（Font）の太字（Bold）を有効（True）にする」
と考える
**❺ Selection.Font.Italic = True**
　❹と同様に「セル B3 のフォント（Font）の斜体（Italic）を有効（True）に
する」と考える
**❻ End Sub**
　マクロの終わりを意味する

プロシージャ内のマクロは、分岐などの特殊処理内容の記述や、一部の省略形式の記述を除き、ほとんどが次のような書式で記述する。

オブジェクト、メソッド、プロパティ、変数については、次章以降で詳しく学習する。

---

マクロの書式①　オブジェクト . メソッド

マクロの書式②　オブジェクト . プロパティ = 変数

---

つまり、ほとんどのマクロは、「.（ピリオド）」を中心に、左側に処理の対象、右側に処理内容（または設定内容）を記述する書式になっている。

マクロを記述すると、部分によって色が異なっていることがわかる。青色で表示されているものは、予約語といいあらかじめ VBA に登録されていて、ユーザーが変数名などに使うことはできないものを意味している。緑色で表示されているものは、コメント行であることを意味している。

マクロをキーボードから直接入力する場合は、大文字と小文字は区別なく入力することができるが、必ず半角でなくてはならない。

マクロは、途中に分岐したり他のプロシージャを呼び出す記述がない限り、上から順番に実行される。

**練習 03**　　マクロ名「練習」を表示してその意味を考えてみよう。

## 7　マクロを編集する

すでに学習したとおり、「例題1」のマクロ本文には、セル B3 を選択するためのコード「Range("B3").Select」が記述されている。この状態では、つねにセル B3 に入力されている文字にしか文字の種類の変更が行えず、汎用性の低いものとなっている。そこで、どのセルに入力されている文字に対しても、文字の種類が変更できるようマクロを編集する。

```
Sub 例題1()
'
' 例題1 Macro
'

'
    Range("B3").Select
    Selection.Font.Bold = True
    Selection.Font.Italic = True
End Sub
```

① Visual Basic Editor のコードウィンドウを表示させ、「Range("B3").Select」の行の先頭に「'」記号を直接入力し、コメント行にする。

　「'」記号入力後、カーソルを他の行に移動させると全体が緑色に変化し、その行がコメント行になったことがわかる。

② B3 以外のセルに文字を入力後、入力したセルにセルポインタを位置させてから「例題1」マクロを実行する。

「Range("B3").Select」がコメント行になったことで、現在、セルポインタのある位置が、選択されたもの（Selection）と判断される。そのため、セルポインタが位置しているセルであれば、文字の種類が変更できるようになる。

**練習 04** マクロ名「練習」を編集して、どのセルに入力されている文字に対しても、アンダーライン（下線）がつくようにしてみよう。

---

**参考**

## 「マクロの記録」ダイアログボックスとマクロ

「マクロの記録」ダイアログボックスと記録されるマクロは次のような関係になる。

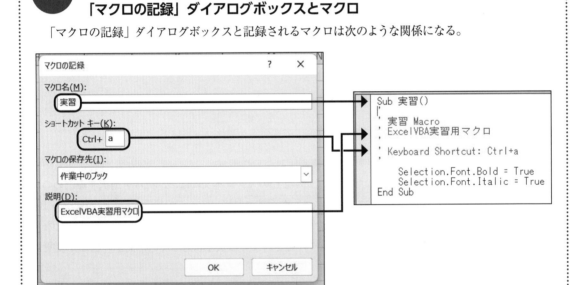

- **ショートカット キー (K)**

  Ctrl キーと英文字を同時にキーボードから押すことでマクロを実行させるときに入力する。
  ショートカットキーを設定すると、次のようなコメント行が作成される。

  ```
  ' Keyboard Shortcut: Ctrl+a
  ```

- **マクロの保存先 (I)**

  記録したマクロの保存場所を指定する。「作業中のブック」の他に、「個人用マクロブック」、「新しいブック」が選択できる。マクロの保存先は、マクロには記述されない。

- **説明 (D)**

  記録させる処理の概要や用途など、マクロについての補足説明やメモなどを入力する。入力した内容がそのまま 1 行コメント行として作成される。簡潔な入力が望ましい。

## 8　マクロの保存と Visual Basic Editor の終了

エクスポートという作業を行うとマクロのみの記録ができる。

　記録や作成したマクロは保存することができる。しかし、Visual Basic Editor の画面から、マクロのみを保存することはできない。一度、Excel のウィンドウにもどり、Excel のブックとして保存しなくてはならない。

　Excel のウィンドウにもどる方法には、次の 3 種類がある。

① Visual Basic Editor のメニューバーから[**ファイル（F）**]−[**終了して Microsoft Excel へ戻る （C）**]を選択する。

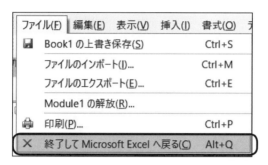

② Visual Basic Editor のツールバーから ![表示] 「**表示 Microsoft Excel (Alt+F11)**」ボタンをクリックする。

③タスクバーの「**Microsoft Excel**」をクリックする。

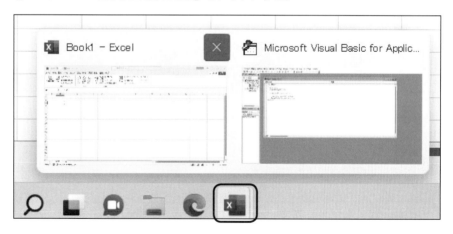

　①では、選択と同時に Visual Basic Editor が終了する。②と③では、ウィンドウが切り替わるだけなので、Visual Basic Editor を終了させるには、再度 Visual Basic Editor にもどり終了させる必要がある。

Excel にもどってからの保存方法は次のように操作する。Excel のブックを保存するフォルダを選択し、「**ファイル名（N)**」にファイル名を入力する。

なお、「**ファイルの種類（T)**」が「**Excel マクロ有効ブック**」になっていることを確認する。

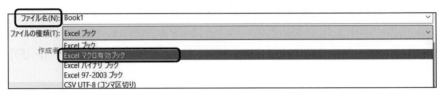

## 保存形式と拡張子

保存するブックのマクロの有無により、ファイル名の拡張子が以下のように区別される。

**マクロの含まれていないブック**　　　　**ファイル名 .xlsx**

**マクロの含まれているブック**　　　　　**ファイル名 .xlsm**

なお、オペレーティングシステム（OS）の設定によっては、拡張子が表示されないことがある。

マクロの含まれているブックをマクロの含まれていない形式で保存しようとすると、以下のエラーが発生する。

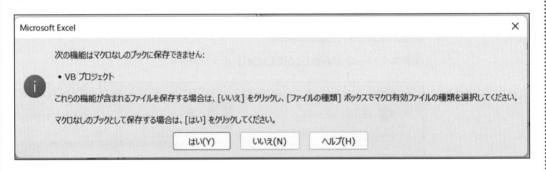

この場合は、いいえ（N）をクリックし、保存形式を選び直して保存しなくてはならない。

# 3 オブジェクトからのマクロの実行

**例題 02** 作成したマクロをオブジェクトから実行する一連の手順について学習しよう。

## 今回作成するマクロ

例題 01 で作成した「例題 1」マクロをオブジェクトから実行できるようにする。
**（ファイル名「例題 02−オブジェクト」）**

|   | A | B | C | D | E | F | G | H |
|---|---|---|---|---|---|---|---|---|
| 1 |   |   |   |   |   |   |   |   |
| 2 |   |   |   |   |   |   |   |   |
| 3 |   | *こんにちは* |   |   |   |   |   |   |
| 4 |   |   |   | 例題1マクロの実行 |   |   |   |   |
| 5 |   |   |   |   |   |   |   |   |
| 6 |   |   |   |   |   |   |   |   |
| 7 |   |   |   |   |   |   |   |   |

## 1 オブジェクトとは

VBA ではオブジェクトをコントロールという。

Excel には、セルの値を操作したり、マクロを実行するための特別な部品が標準で用意されている。この部品の総称を**オブジェクト**という。また、VBA ではセルやワークシート、グラフなどもマクロの対象とすることができるので、オブジェクトと表現する。

この例題では、オブジェクトの中からマクロ実行用の部品を使用して、マクロを実行する。

## 2 オブジェクトを表示させる

①**[開発]タブ**−**<コントロール>**−**[挿入]**を選択する。

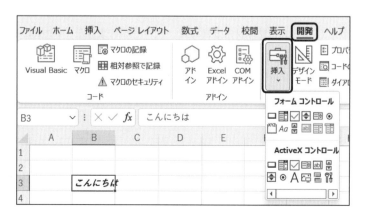

「フォーム コントロール」と「ActiveX コントロール」の違いは後述。

②図のような、「**フォーム コントロール**」と「**ActiveX コントロール**」が表示される。ここに表示されているものがオブジェクトの一覧である。それぞれのオブジェクトはワークシートなどに貼り付けて使用する。

# 3　オブジェクトにマクロを登録する

①「**フォーム コントロール**」の ▭「**ボタン（フォームコントロール）**」をクリックする。

②マウスをワークシート上へ移動すると、マウスポインタの形状が「**+**」になるので適当な範囲をドラッグする。

③ボタンがワークシート上に貼り付く。

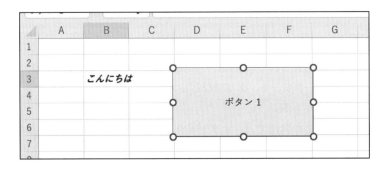

　ボタンは、貼り付けた順番に、「ボタン1」、「ボタン2」のように番号がつくようになっている。①～③の作業をやり直したり、ボタンを削除したりすると番号が変わることがある。

④ボタンの貼り付けと同時に、次ページのような「マクロの登録」ダイアログボックスが開く。ここで、貼り付けたボタンにどのマクロを登録するかを選択する。ウィンドウの中にすでに作成されているマクロ名の一覧が表示される。

⑤ここでは、作成した「例題1」マクロを登録するので、一覧の中から「例題1」を選択し、OKをクリックする。これで、ボタンにマクロが登録された。

## 4 マクロを実行する

①ボタンに**ハンドル**（白い丸）がついている状態では、マクロを実行することができない。どこか適当なセルをクリックするとハンドルがはずれる。

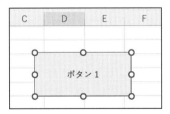

②再度、ボタンにマウスをあわせると、ポインタが手の形に変わる。この状態でボタンをクリックすると、マクロが実行される。

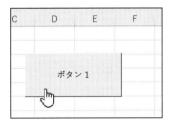

## 5　ボタン上の文字の変更

ボタンの大きさが小さいと文字が折り返して表示される。この場合はハンドルを使ってボタンを大きくする。

　　ボタン上に表示される文字は、すでに学習したように、貼り付けた順番に番号がつくようになっている。これでは何をするボタンなのかがわからなくなってしまうので、処理内容がわかるようにボタン上の文字を変更する。

①ボタンにマウスをあわせ、右クリックをすると、次のようなコンテキストメニューが表示される。

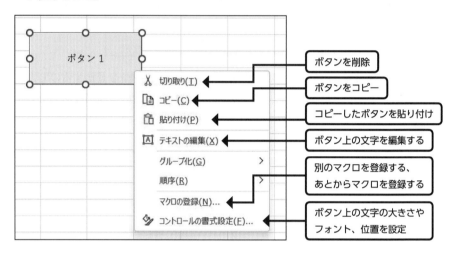

②コンテキストメニューから**「テキストの編集（X）」**を選択すると、ボタン上にカーソルが点滅し、編集できる状態になるので、「例題1マクロの実行」と修正する。

```
例題1マクロの実行
```

　　ボタンにマクロを登録すると、マクロを知らない Excel ユーザーでも、マクロを意識することなく、アイコンをクリックするのと同じ感覚で、簡単にマクロを実行することができる。

---

**練習 05**　新たにボタンを配置し、「練習」マクロを登録し実行してみよう。また、実行後は、ボタン上の文字を「練習マクロの実行」に変更してみよう。

## 6　イベントとイベント駆動

　　ボタンにマクロを登録すると、マクロはボタンをクリックしたときに実行されるようになる。この「ボタンをクリック」のように、マクロが実行されるタイミングのことを**イベント**という。そして、イベントによってマクロを実行する考え方を、**イベント駆動の考え方**という。

　　これは、VBA が、イベント駆動型プログラミング言語である Visual Basic の考え方をもとにして作られているからである。（一般的に VBA は、Visual Basic Ver.6.0 までの製品内容と操作性や画面構成等が近い。）

ボタンなどのオブジェクトがどのようなイベントを持っているかは、「**マクロの登録**」ダイアログボックスで、一番最初に表示される内容で確認できる。

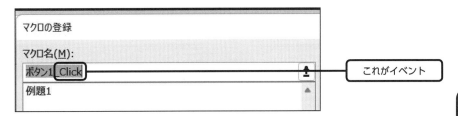

## 「フォーム コントロール」と「ActiveX コントロール」

この 2 つのオブジェクトコントロールのオブジェクトには、簡単に次のような違いがある。

**フォームコントロール**

Excel95 までで使われていたコントロール。互換性を保つために、Excel の最新バージョンでも機能として残っている。
・イベント…基本的に、Click イベントと Change イベント。
・各オブジェクトの利用できる場所（貼り付けられる場所）…ワークシート、ダイアログボックス。
・各オブジェクトのカスタマイズ…文字サイズや保護、値の設定などに限られる。
・コード記述…原則として「**標準モジュール**」に記述されたコードにのみ対応。

**Active X コントロール**

Excel97 から搭載されたコントロール。イベントやコード記述など、フォーム コントロールと比べて機能性、汎用性が高く、Visual Basic に近いプログラミングが可能である。
・イベント…各オブジェクトごとに 10 〜 20 数種類の多種多様なイベントがある。
・各オブジェクトの利用できる場所（貼り付けられる場所）…ワークシート、ユーザーフォーム。
・各オブジェクトのカスタマイズ…プロパティシートで多種類のカスタマイズが可能。
・コード記述…各オブジェクトの持つ「**オブジェクトモジュール**」に記述。「**標準モジュール**」にも対応。
　画面上では似たような形状のものが多く、差がわかりにくいが、VBA でオブジェクトを利用する場合は、両方の特性を理解して、処理内容に応じて使い分けることが重要である。

　初めて VBA を学習する場合を考えて、本書では第 1 章〜第 3 章までは、比較的利用方法が簡易な「**フォームコントロール**」を利用して記述されている。「**ActiveX コントロール**」については、第 4 章で詳しく学習する。

# 記録マクロの利用

## 1 名簿の並べ替え

**例題 03**

　名簿のようにデータを数多く集めるときには、順番にとらわれずどんどんデータを入力していき、入力途中や入力後に見やすいようにデータを並べ替えることがある。並べ替えのキーが決まっていたり複数あったりするような場合は、これをマクロにすれば都度の並べ替えが簡単に実行できる。ここでは、順不同に入力した名簿を並べ替えるマクロを、マクロ記録機能を利用して作成しよう。

### 今回作成するマクロ

　男子バスケット部と女子バスケット部では、文化祭に合同で模擬店「鉄板屋台村」を出店することになった。各部員はクジ引きで担当する屋台を決めることになり、マネージャーは、クジを引いた部員から順に、背番号・氏名・学年・担当屋台を申し出てもらって入力し、担当一覧表を作成した。しかしこのまま申し出順では表が見にくいので、随時並べ替えることができるよう、マクロを作成することにした。ここでは、学年順ボタンを押すと表のデータを学年順に並べ替えるマクロを作成してみよう。ただし、学年が同一である場合は、背番号順に、さらに背番号が同一の場合は氏名が五十音順になるようにする。　　**（ファイル名「例題03−鉄板屋台村1」）**

**名簿作成時**

| | A 背番号 | B 氏名 | C 性別 | D 学年 | E 担当屋台 |
|---|---|---|---|---|---|
| 2 | 7 | 阿部　慎二郎 | 男 | 4年 | 焼きそば |
| 3 | 18 | 早川　陽菜 | 女 | 4年 | お好み焼き |
| 4 | 15 | 三浦　克博 | 男 | 2年 | ジャンボフランク |
| 5 | 16 | 多田　真麻 | 女 | 1年 | お好み焼き |
| 6 | 14 | 加藤　卓哉 | 男 | 1年 | ドリンク |
| 7 | 14 | 鈴木　愛実 | 女 | 1年 | ドリンク |
| 8 | 9 | 伊東　祐輔 | 男 | 2年 | お好み焼き |
| 9 | 20 | 古泉　一彦 | 男 | 1年 | 焼きそば |
| 10 | 17 | 長江　敏幸 | 男 | 3年 | 焼きそば |
| 11 | 13 | 和田　淳 | 男 | 3年 | ジャンボフランク |
| 12 | 12 | 八嶋　由香里 | 女 | 3年 | ホットケーキ |
| 13 | 6 | 浅井　春陽 | 女 | 2年 | ホットケーキ |
| 14 | 19 | 菊地　亮 | 男 | 1年 | お好み焼き |
| 15 | 5 | 髙森　ひなこ | 女 | 2年 | お好み焼き |
| 16 | 15 | 樋口　雅美 | 女 | 2年 | ジャンボフランク |
| 17 | 8 | 阿部　真継 | 男 | 2年 | ドリンク |
| 18 | 12 | 結城　剛史 | 男 | 1年 | ホットケーキ |
| 19 | 4 | 矢部　由梨亜 | 女 | 3年 | ジャンボフランク |
| 20 | 6 | 吉田　健太 | 男 | 3年 | ホットケーキ |
| 21 | 10 | 寺岡　稔 | 男 | 1年 | ドリンク |
| 22 | 5 | 小野寺　渉 | 男 | 4年 | 焼きそば |
| 23 | 10 | 秋山　哉 | 女 | 2年 | ドリンク |
| 24 | 11 | 相沢　里 | 男 | 3年 | お好み焼き |
| 25 | 13 | 瀬川　奈々 | 女 | 2年 | ドリンク |
| 26 | 11 | 大友　明奈 | 女 | 1年 | 焼きそば |

**並べ替え（学年順）実行時**

| | A 背番号 | B 氏名 | C 性別 | D 学年 | E 担当屋台 | F | G | H |
|---|---|---|---|---|---|---|---|---|
| 2 | 5 | 小野寺　渉 | 男 | 4年 | 焼きそば | | | |
| 3 | 7 | 阿部　慎二郎 | 男 | 4年 | 焼きそば | | | |
| 4 | 18 | 早川　陽菜 | 女 | 4年 | お好み焼き | | 学年順 | |
| 5 | 4 | 矢部　由梨亜 | 女 | 3年 | ジャンボフランク | | | |
| 6 | 6 | 吉田　健太 | 男 | 3年 | ホットケーキ | | | |
| 7 | 11 | 相沢　里 | 男 | 3年 | お好み焼き | | | |
| 8 | 12 | 八嶋　由香里 | 女 | 3年 | ホットケーキ | | | |
| 9 | 13 | 和田　淳 | 男 | 3年 | ジャンボフランク | | | |
| 10 | 17 | 長江　敏幸 | 男 | 3年 | 焼きそば | | | |
| 11 | 5 | 髙森　ひなこ | 女 | 2年 | お好み焼き | | | |
| 12 | 6 | 浅井　春陽 | 女 | 2年 | ホットケーキ | | | |
| 13 | 8 | 阿部　真継 | 男 | 2年 | ドリンク | | | |
| 14 | 9 | 伊東　祐輔 | 男 | 2年 | お好み焼き | | | |
| 15 | 10 | 秋山　哉 | 女 | 2年 | ドリンク | | | |
| 16 | 13 | 瀬川　奈々 | 女 | 2年 | ドリンク | | | |
| 17 | 15 | 樋口　雅美 | 女 | 2年 | ジャンボフランク | | | |
| 18 | 15 | 三浦　克博 | 男 | 2年 | ジャンボフランク | | | |
| 19 | 10 | 寺岡　稔 | 男 | 1年 | ドリンク | | | |
| 20 | 11 | 大友　明奈 | 女 | 1年 | 焼きそば | | | |
| 21 | 12 | 結城　剛史 | 男 | 1年 | ホットケーキ | | | |
| 22 | 14 | 加藤　卓哉 | 男 | 1年 | ドリンク | | | |
| 23 | 14 | 鈴木　愛実 | 女 | 1年 | ドリンク | | | |
| 24 | 16 | 多田　真麻 | 女 | 1年 | お好み焼き | | | |
| 25 | 19 | 菊地　亮 | 男 | 1年 | お好み焼き | | | |
| 26 | 20 | 古泉　一彦 | 男 | 1年 | 焼きそば | | | |

## 1　ワークシートに名簿を作成

新規作成したワークシートに次のようなデータを入力する。

| | A | B | C | D | E |
|---|---|---|---|---|---|
| 1 | 背番号 | 氏名 | 性別 | 学年 | 担当屋台 |
| 2 | 7 | 阿部　慎二郎 | 男 | 4年 | 焼きそば |
| 3 | 18 | 早川　陽菜 | 女 | 4年 | お好み焼き |
| 4 | 15 | 三浦　克博 | 男 | 2年 | ジャンボフランク |
| 5 | 16 | 多田　真麻 | 女 | 1年 | お好み焼き |
| 6 | 14 | 加藤　卓哉 | 男 | 1年 | ドリンク |
| 7 | 14 | 鈴木　愛実 | 女 | 1年 | ドリンク |
| 8 | 9 | 伊東　祐輔 | 男 | 2年 | お好み焼き |
| 9 | 20 | 古泉　一彦 | 男 | 1年 | 焼きそば |
| 10 | 17 | 長江　敏幸 | 男 | 3年 | 焼きそば |
| 11 | 13 | 和田　淳 | 男 | 3年 | ジャンボフランク |
| 12 | 12 | 八嶋　由香里 | 女 | 3年 | ホットケーキ |
| 13 | 6 | 浅井　春陽 | 女 | 2年 | ホットケーキ |
| 14 | 19 | 菊地　亮 | 男 | 1年 | お好み焼き |
| 15 | 5 | 高森　ひなこ | 女 | 2年 | お好み焼き |
| 16 | 15 | 樋口　雅美 | 女 | 2年 | ジャンボフランク |
| 17 | 8 | 阿部　真継 | 男 | 2年 | ドリンク |
| 18 | 12 | 結城　剛史 | 男 | 1年 | ホットケーキ |
| 19 | 4 | 矢田部　由梨亜 | 女 | 3年 | ジャンボフランク |
| 20 | 6 | 吉田　健太 | 男 | 3年 | ホットケーキ |
| 21 | 10 | 寺岡　稔 | 男 | 1年 | ドリンク |
| 22 | 5 | 小野寺　渉 | 男 | 4年 | 焼きそば |
| 23 | 10 | 秋山　哉 | 女 | 2年 | ドリンク |
| 24 | 11 | 相沢　里 | 男 | 3年 | お好み焼き |
| 25 | 13 | 瀬川　奈々 | 女 | 2年 | ドリンク |
| 26 | 11 | 大友　明奈 | 女 | 1年 | 焼きそば |

## 2　マクロ記録機能を利用してマクロを記述

①[開発] タブ－＜コード＞－[マクロの記録] を選択する。

タスクバー上の

でもよい。

[表示] タブ-<マクロ>-[マクロ]-[マクロの記録] を選択してもよい。

②「マクロの記録」ダイアログボックスが表示されたら、「マクロ名（M）」を「学年順」、「マクロの保存先（I）」を「作業中のブック」と設定し、OK をクリックする。

③この時点からマクロ記録モードになる。マクロ記録モード中は、ステータスバー上のボタンが切り替わって表示される。

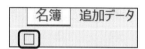

④並べ替えの操作を一度実際に実行する。表内のセル（例えば A1）をアクティブにして、**[データ] タブ-<並べ替えとフィルター>-[並べ替え]** を選択する。「並べ替え」ダイアログボックスを次のように設定し、OK をクリックする。

タスクバー上の

 記録終了

や [表示] タブ-<マクロ>-[マクロ]-[記録終了] を選択してもよい。

⑤並べ替え終了後の画面表示を設定するため、A1 をアクティブにする。
⑥記録操作はここまでなので、**[開発] タブ-<コード>-[記録終了]** を選択する。

---

参考 **マクロ記録のやり直し**

　マクロ記録中の操作は、すべて記録されてしまうので、途中でやり直したりするとそれらもすべて記録されてしまう。間違えないように慎重に操作する。何度か間違った操作をしてしまった場合は、いったんマクロの記録を終了し、もう一度同じ名前でマクロを記録し直すとよい。同じ名前であればマクロ記録が書き直され、記述が複雑になることを避けることができる。

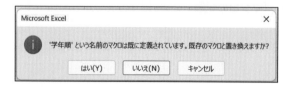

## 3 記録したマクロを実行

ボタンやダイアログ
ボックスを利用した並
べ替えは［ホーム］タ
ブ－＜元に戻す＞

で元に戻すこ
とができる。

マクロで実行した並べ
替えは

で元に戻すこ
とができない。

①マクロ記録のときに実行した並べ替えを元に戻しておく。

②**［開発］タブ－＜コード＞－［マクロ］**を選択する。

③「マクロ」ダイアログボックスで、「マクロ名（M）」に先ほど記録した「学年順」
　が選択されていることを確認して ［実行 (R)］ をクリックする。

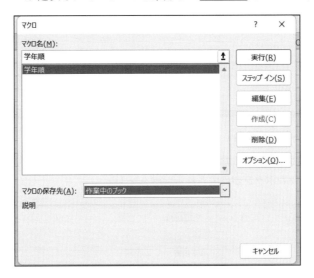

④名簿が学年順に並べ替えられたことを確認する。学年が同一の場合は背番号順に、
　背番号が同一の場合は氏名の順になっている。

---

参考　**マクロの実行方法**

マクロの実行方法としては次のものがある。

①**［開発］タブ－＜コード＞－［マクロ］**を選択

②**［表示］タブ－＜マクロ＞－［マクロ］－［マクロの表示］**を選択

③マクロを登録したマクロボタンを作成し、これをクリック（後述）

④マクロ作成時に「マクロの記録」ダイアログボックスでショートカットキーとして任意の文字を設
　定した場合は ［Ctrl］ とそのキーを押す

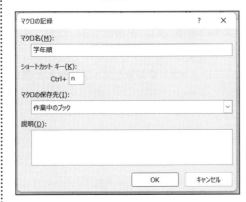

2
章

# 4 マクロボタンを作成

①[開発]タブ-<コントロール>-[挿入] を選択する。

②□ボタン (フォームコントロール) をクリックするとマウスポインタの形状が「+」となるので、ワークシート上の任意の位置でドラッグしてボタンを作成する。(ここでは G3 から H4 の範囲)

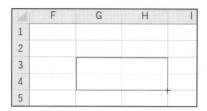

③「マクロの登録」ダイアログボックスが表示されるので、このボタンをクリックしたときに実行したいマクロを選択し (ここでは「学年順」)、[OK] をクリックする。マクロボタンが作成される (ボタン 1)。

④これでマクロボタンに「学年順」のマクロが登録されたが、ボタン上の表示は「ボタン 1」のままなので、ボタン上のテキストを編集する。ボタンを右クリックし、ショートカットメニューから [テキストの編集 (X)] を選択する。なお、ボタンを作成した直後は、編集可能な状態になっているのでそのまま入力できる。

⑤ボタン上にカーソルが点滅するので、「ボタン 1」を削除して「学年順」と書き換える。

## 5 マクロボタンから並べ替えを実行

①いったん任意のセル（例えばB2）をクリックして昇順に並べ替える。

②[学年順]ボタンをクリックして「学年順」マクロが実行されることを確認する。

## 6 記録したマクロの内容を確認

[表示] タブ－＜マクロ＞－[マクロの表示]を選択してもよい。また、[開発] タブ－＜コード＞－[Visual Basic] を選択すると直接 VBE が起動する。

コードウィンドウの大きさにより、改行位置は必ずしも図と同じにはならない。

行末の「＿」は引数の次行への継続を示す。

①[開発] タブ－＜コード＞－[マクロ] を選択する。

②「マクロ」ダイアログボックスで、先ほど記録したマクロ名が選択されている（ここでは「学年順」）ことを確認して[編集 (E)]をクリックする。

③ VBE が起動し、コードウィンドウに記録したマクロの内容が表示される。

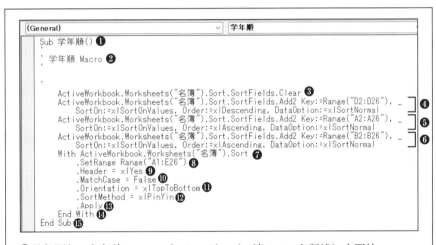

❶学年順という名前で Sub プロシージャ（一連のコード記述）を開始

❷注釈行。「'」で始まる

❸（並べ替えダイアログボックスに残っている）並べ替えの設定をいったんすべてクリア

❹最優先されるキーとして、D列(D2：D26)の値を基準として降順並べ替えを追加

❺2番目のキーとして、A列（A2：A26）の値を基準として昇順並べ替えを追加

❻3番目のキーとして、B列(B2:B26)の値を基準として昇順並べ替えを追加

❼以下のようにシートの並べ替えを設定

❽並べ替え範囲をセル A1：E26 とする

❾先頭行を見出し行とする

❿大文字小文字を区別しない

⓫並べ替えの方向を行方向とする

⓬ふりがなを使う

⓭並べ替えを実行する

⓮設定ここまで

⓯プロシージャの終了

# 7　マクロ記述を修正

　記録機能を利用して記述されたマクロは、行った操作のすべてが記録されるので、記録中に操作を間違うとそれも記述される。またダイアログボックスで設定できる操作などの場合、操作中に設定変更しなかった項目であっても、そのダイアログボックスで設定できる項目すべてについて記述されてしまう。このようなことからマクロ記述は案外に煩雑で長いものになりやすい。そこで、操作に必要な記述だけを残して不要な記述を削除したり、必要に応じて修正するとよい。また、操作の対象となるセルや値などで変更が生じるような場合は、「変数」（データなどの入れ物のようなもの）に代入して利用すると汎用性が高くなって便利である。

①「学年順」マクロの記述を次のように修正する。

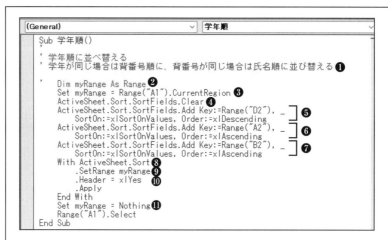

❶実行内容を説明する注釈文を入力

❷ Range オブジェクト（セル範囲）を代入する変数 myRange を宣言（❸でセル範囲を代入するための変数の名前とその型を明らかにしている）

❸変数 myRange に、セル A1 を開始位置としたアクティブ領域（連続するデータ範囲）を代入（並べ替え範囲をセルで限定せずに、その都度 A1 から連続するデータ範囲を対象とすることができるようにするため）

❹❺❻❼❽「ActiveWorkbook.Worksheets("名簿")」部分を「ActiveSheet」に簡略化（ここでは操作の対象となるブックもワークシートも単一であり、それがアクティブになっているので、「ActiveSheet」を記述するだけで十分である）

❺❻❼並べ替えのキーの記述を、列の先頭のセルに変更（それぞれセル D2、A2、B2。並べ替えはキーの列がわかれば十分である）。また「DataOption（テキストの並べ替え方法）」は既定のままなので記述を省略

❾並べ替え範囲として「myRange」を指定

❿ with ステートメントで処理される引数のうち、既定のままで設定を変更していないものを削除（P.31 のマクロ記述の❿⓫⓬）

⓫並べ替え終了後、myRange の内容を解除

## マクロ作成のポイント

### 1. With ステートメント

　同じオブジェクト（セル・セル範囲・ワークシート・ブック・ウィンドウなど）に対して、一括して複数の設定を行うときに利用するステートメント。対象とするオブジェクトの記述を繰り返し記述する必要がなくなるので、マクロの記述が簡潔になる。

　最後に必ず End　With ステートメントをおく。

　ダイアログボックスで設定できる属性の場合にこの記述となるが、設定していない属性についてもすべて記述されるので煩雑な記述になりがちである。この場合は処理の必要な記述だけを残し、他は削除してかまわない。

```
<例> With Selection.Font
        .Fontstyle = "太字"
        .Underline = xlUnderlineStylesingle
        .Color = 12611584
      End  With
```

> 「セルの書式設定」ダイアログボックスの[フォント]で太字・下線・フォントの色「青」の3項目を設定。記録されたマクロ記述から設定しなかった他の項目を削除。

### 2. 変数と Dim ステートメント

　**変数**とは、プロシージャ実行中に使用する値やオブジェクトを一時保管する入れ物で、プロシージャの実行中、自由に何度も使用できる。例えばユーザーに年齢を入力させて、その値を「年齢」という名前の変数に格納すると、プロシージャ内では「年齢」に格納された値を参照して処理をすることができる。入力された値が異なっても処理される内容が同じで、その都度の値変更に対応できることとなる。

　通常はプログラムの最初に Dim ステートメントを利用して変数名を宣言し、As キーワードに続けて格納するデータの型を指定して、記述を読みやすいものにしておく。

> 変数の名前は自由につけてよい。ただし、文字とアンダースコア（_）は使えるがスペースや他の記号は使えない。また、先頭は英字・漢字・ひらがな・カタカナのいずれかでなければならない。

```
<例> Dim myAge As Integer      ………整数を格納する変数「myAge」を宣言
<例> Dim myName As String      ………文字列を格納する変数「myName」を宣言
```

　なおデータ型には、バイト型（Byte）、ブール型（Boolean）、整数型（Integer）、長整数型（Long）、単精度浮動小数点型（Single）、倍精度浮動小数点型（Double）、日付型（Date）、文字列型（String）、バリアント型（Variant）、オブジェクト型（Object）などがある。

　変数は宣言する場所によって使用できる範囲（適用範囲）や値の保持期間（有効期間）が異なる。プロシージャ内で宣言した変数は、そのプロシージャが実行している間使用でき、その値を保持する。

　変数に値を格納することを「代入」といい、「変数名 = 格納する値」と記述する。

> 変数は宣言せずにいきなり記述することも可能であるが、宣言しない変数に記述ミスがあると、エラーの発見が困難となるので、必ず宣言するよう心がけるとよい。

```
<例> myAge = Range("A1").Value …変数「myAge」にセル A1 の値を格納
<例> myName = "田中太郎" ……………変数「myName」に田中太郎と格納
```

### 3. オブジェクト変数と Set ステートメント

　数値や文字列など単なる値でなく、シートやセルなどのオブジェクトを変数に格納して利用したい場合は、対象となるオブジェクトはオブジェクト変数に格納する。Dim ステートメントで変数をオブジェクト型で宣言し、Set ステートメントでオブジェクトを代入する。

　当該処理実行後は、再び Set ステートメントでオブジェクト変数に Nothing を代入して参照を解放するのが一般的である。

```
＜例＞ Dim myRange As Range ·······················Range オブジェクトとして
                                                変数「myRange」を宣言

      Set myRange = Range("A1:E5") ··········変数「myRange」にセル範囲
                                               A1：E5 を代入
```

### 4. 連続するセル範囲の選択

　アクティブセルから上下左右に連続するセルを指定するには「Current Region」プロパティを使う。例題では入力データに増減があって並べ替え範囲がその都度異なる場合でも、A1 を始点に連続した範囲を選択して、範囲として設けたオブジェクト変数「myRange」に代入している。これにより範囲の増減に対応できるようになる。

## 8　修正後の並べ替えマクロを実行

①次のデータを追加する。

| 背番号 | 氏名 | 性別 | 学年 | 担当屋台 |
|---|---|---|---|---|
| 7 | 大和田　玲 | 男 | 3 年 | 焼きそば |
| 18 | 山崎　海 | 女 | 2 年 | お好み焼き |

②［学年順］ボタンをクリックして学年順マクロを実行し、結果を確認する。

**練習 06**　担当屋台ごとに昇順に並べ替えるマクロ（屋台順）を作成してみよう。ただしこのとき、同じ担当ならば「氏名」が五十音順に並ぶようにしてみよう。

**練習 07**　「屋台順」と表記したマクロボタンを任意の範囲に作成し、屋台順マクロを登録してみよう。

**練習 08**　次のデータを追加し、練習 07 で作成した［屋台順］ボタンでマクロを実行してみよう。ただし、データが増えても実行可能となるようにマクロ記述は修正されていること。

| 背番号 | 氏名 | 性別 | 学年 | 担当屋台 |
|---|---|---|---|---|
| 4 | 鈴木　遼 | 男 | 2 年 | ホットケーキ |
| 8 | 加藤　麻衣 | 女 | 1 年 | 焼きそば |
| 16 | 八巻　翔太 | 男 | 2 年 | 焼きそば |

# 2 種類別にセルを色分け

> **例題 04**　一覧表になっているデータを見やすくする方法として、その内容によってセルの書式を変える場合がある。各データのうち、担当屋台が「お好み焼き」であるセルを'オレンジ、アクセント 2、白＋基本色 60%'に塗りつぶしてみよう。条件付き書式を利用することもできるが、ここではマクロを利用する。

## 今回作成するマクロ

学年順に並べ替えたときに担当屋台が判別しやすいように、この部分の色分けを考えた。ここではまず「担当屋台」の中で選択したセルの内容がもしも「お好み焼き」ならば、セルの塗りつぶしの色を'オレンジ、アクセント 2、白＋基本色 60%'に塗りつぶすマクロを作成してみよう。ただし「お好み焼き」ではない場合も考慮し、その場合は'塗りつぶしなし'とし、色分け ボタンに登録する。

**（ファイル名「例題 04－鉄板屋台村 2」）**

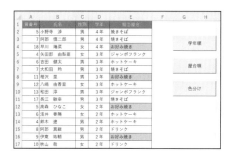

## 1 マクロ記録機能を利用してマクロを記述

マクロ記録機能を利用して、1つ選択したセルの内容が「お好み焼き」であれば、'オレンジ、アクセント 2、白＋基本色 60%'に塗りつぶすマクロを記述する。

①担当屋台が「お好み焼き」のセルをアクティブにする。

②**[開発] タブ－＜コード＞－[マクロの記録]** を選択する。

[表示] タブ－＜マクロ＞－[マクロ]－[マクロの記録] を選択してもよい。

③「マクロの記録」ダイアログボックスが表示されたら、「マクロ名（M）」を「オレンジ」、「マクロの保存先（I）」を「作業中のブック」と設定し、OK をクリックする。

④すでにセルが選択してあるのでそのまま **[ホーム] タブ－＜フォント＞－[塗りつぶしの色]** を利用して'オレンジ、アクセント 2、白＋基本色 60%'に設定する。

タスクバー上の□や[表示] タブ－＜マクロ＞－[マクロ]－[記録終了] を選択してもよい。

⑤記録操作はここまでなので、**[開発] タブ－＜コード＞－[記録終了]** を選択する。

**練習 09**　同様に選択したセルを'塗りつぶしなし'とする「色なし」マクロを作成してみよう。

# 2 マクロ記述を修正

　　1つ選択したセルの内容が「お好み焼き」の場合は塗りつぶし、そうでないときには塗りつぶしなしになるよう、マクロ記述を修正する。

① VBE を起動する。

②「オレンジ」や「色なし」記述で、不要な部分を削除する。またこの2つのマクロを利用して、選択したセルの内容が「お好み焼き」であれば'オレンジ、アクセント2、白 + 基本色 60%'に、そうでなければ'塗りつぶしなし'になるように、場合分けをするマクロ「色分け」を直接記述する。

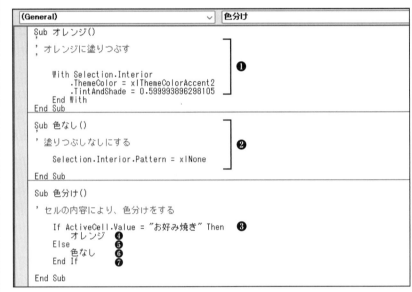

❶最初に記録した「オレンジ」マクロ。不要な部分を削除

　　Selection は現在選択されているオブジェクト（ここではセル）を示す。

　　Interior はオブジェクトの塗りつぶし属性を表すプロパティ

❷練習 09 で記述した「色なし」マクロ。不要な部分を削除（設定値が1つなので With ステートメントも削除している）

　　上の❶・❷をサブプロシージャとして利用し、メインプロシージャとなる「色分け」を記述する

❸（条件分岐の始まり）もし選択したセルの内容が「お好み焼き」という文字列ならば、

　　※ Value は対象となるオブジェクト（ここでは選択されたセル = ActiveCell）の「値」を示す

❹「オレンジ」マクロを実行する

❺そうでなければ

❻「色なし」マクロを実行する

❼条件分岐を終了する

条件が成立しない場合は何もしないすなわち記述不要と考えることもできる。この場合は「If... Then」ステートメントを利用し、例題のうち Else 以降（❺と❻）を記述せず End If ですぐに終了してよい。

## 1. 条件によって異なる処理をする If...Then...Else ステートメント

条件が成立した（真／ True）場合にはある処理が実行され、成立しない（偽／False）の場合には別の処理が実行される。

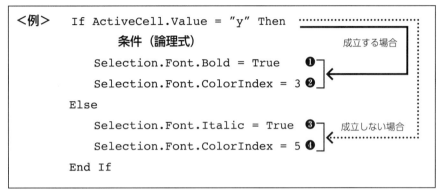

上の例では、選択したセルの内容が「y」という文字であるとき、フォントを太字（❶）にして文字色を赤（❷）にするが、そうでないときにはフォントを斜体（❸）にして文字色を青（❹）にする。If...Then...Else ステートメントは最後に必ず End If を置かなければならない。

## 2. 論理式と比較演算子

If...Then...Else ステートメントでは、条件にあっているかどうか（真偽）を評価できるように「=」「＜＞」「＞」などの比較演算子を用いた論理式が使われる。

**比較演算子**

| = | 等しい |
|---|---|
| ＜＞ | 等しくない |
| ＞ | より大きい |
| ＞ = | 以上 |
| ＜ | より小さい |
| ＜ = | 以下 |

**論理演算子**

| And | 複数の論理式が　～　かつ　～　で連結される |
|---|---|
| Or | 複数の論理式が　～　または　～　で連結される |
| Not | ～ではないと否定する |

## 3. メインプロシージャとサブプロシージャ

論理式によって条件分岐されたあとに実行される処理が複数行にわたりプロシージャが長くなるような場合は、分岐後に実行される処理部分については別の名前を付けて独立したプロシージャ（サブプロシージャ）とし、If...Then...Else ステートメント部分をメインプロシージャとして処理の流れをはっきりさせると、全体の処理の流れがわかりやすくなる。メインプロシージャでは、条件による分岐とそのときに実行するサブプロシージャ名というシンプルな記述とする。

```
<例>    If ActiveCell.Value = ″y″ Then
            太字
        Else
            斜体
        End If
```

　上の例では、処理の前提として前ページの❶❷の2行を「太字」マクロ、❸❹の
2行を「斜体」マクロとして別の独立したプロシージャとし（サブプロシージャ）、
メインプロシージャでは、選択したセルの内容が「y」であるときは「太字」マクロを、
そうでないときは「斜体」マクロを実行するようにしたものである。
　なお、サブプロシージャであることを明示するため、下の例のようにCallステー
トメントを利用することもある。

```
<例>    If ActiveCell.Value = ″y″ Then
            Call  太字
        Else
            Call  斜体
        End If
```

## 3　マクロボタンを作成し、実行

①セル G9：H10 の範囲に 色分け と表記したマクロボタンを作成し、「色分け」マ
　クロを登録する。
②先に担当屋台で任意のセルを選択し、 色分け ボタンで色分けを実行する。

**練習10**　　　性別で任意のセルをクリックし、男の場合と女の場合とで別の色に塗りつぶすマ
クロを作成してみよう。塗りつぶしの色は任意とする。セル G21：H22 の範囲に「性
別で色分け」ボタンを作成してこれに登録し、実行してみよう。

　**マクロ記述のコピーと貼り付け**

　新しくマクロを作成するとき、すでに作成してある記述をコピーして修正することができる。例え
ば上述の「太字」マクロと「斜体」マクロは共通する部分が多い。そこで、コードウィンドウ上で「太
字」マクロ記述をそのままコピーし、別の行に貼り付けし、異なる部分だけを修正する。

```
<例>    Sub 太字 （ ）
              ↑「斜体」と修正
        Selection.Font.Bold = True
                        ↑「Italic」と修正
        Selection.Font.ColorIndex = 3
                            ↑「5」と修正

        End Sub
```

# 3 複数条件で色分け

 **例題 05**　条件によって処理を分ける場合、その条件が増えた場合はどうだろうか。ここでは色分け処理をする条件を増やしてみよう。

## 今回作成するマクロ

　学年順に並べ替えられた名簿の担当屋台のセル内容による色分けで、もう1つ条件を追加して別の色を設定してみよう。ここでは選択したセルの内容がもしも「お好み焼き」ならば、セルの塗りつぶしの色を'オレンジ、アクセント2、白+基本色60%'に、もし「ドリンク」ならば'青、アクセント1、白+基本色80%'、それ以外ならば'塗りつぶしなし'とし、 色分け ボタンに登録する。

（ファイル名「例題05−鉄板屋台村3」）

| | A | B | C | D | E | F | G | H |
|---|---|---|---|---|---|---|---|---|
| 1 | 背番号 | 氏名 | 性別 | 学年 | 担当屋台 | | | |
| 2 | 5 | 小野寺　渉 | 男 | 4年 | 焼きそば | | | |
| 3 | 7 | 阿部　慎二郎 | 男 | 4年 | 焼きそば | | 学年順 | |
| 4 | 18 | 早川　陽菜 | 女 | 4年 | お好み焼き | | | |
| 5 | 4 | 矢田部　由梨亜 | 女 | 3年 | ジャンボフランク | | | |
| 6 | 6 | 吉田　健太 | 男 | 3年 | ホットケーキ | | 屋台順 | |
| 7 | 7 | 大和田　玲 | 男 | 3年 | 焼きそば | | | |
| 8 | 11 | 相沢　里 | 男 | 3年 | お好み焼き | | | |
| 9 | 12 | 八嶋　由香里 | 女 | 3年 | ホットケーキ | | 色分け | |
| 10 | 13 | 和田　淳 | 男 | 3年 | ジャンボフランク | | | |
| 11 | 17 | 長江　敏幸 | 男 | 3年 | 焼きそば | | | |
| 12 | 4 | 鈴木　遼 | 男 | 2年 | ホットケーキ | | | |
| 13 | 5 | 髙森　ひなこ | 女 | 2年 | お好み焼き | | | |
| 14 | 6 | 浅井　春陽 | 女 | 2年 | ホットケーキ | | | |
| 15 | 8 | 阿部　真継 | 男 | 2年 | ドリンク | | | |
| 16 | 9 | 伊東　祐輔 | 男 | 2年 | お好み焼き | | | |
| 17 | 10 | 秋山　哉 | 女 | 2年 | ドリンク | | | |
| 18 | 13 | 瀬川　奈々 | 女 | 2年 | ドリンク | | | |
| 19 | 15 | 樋口　雅美 | 女 | 2年 | ジャンボフランク | | | |
| 20 | 15 | 三浦　克博 | 男 | 2年 | ジャンボフランク | | | |
| 21 | 16 | 八巻　翔太 | 男 | 2年 | 焼きそば | | 性別で色分け | |
| 22 | 18 | 山崎　海 | 女 | 2年 | お好み焼き | | | |
| 23 | 8 | 加藤　麻衣 | 女 | 1年 | 焼きそば | | | |
| 24 | 10 | 寺岡　稔 | 男 | 1年 | ドリンク | | 学年で色分け | |
| 25 | 11 | 大友　明奈 | 女 | 1年 | 焼きそば | | | |
| 26 | 12 | 結城　剛史 | 男 | 1年 | ホットケーキ | | | |
| 27 | 14 | 加藤　卓哉 | 男 | 1年 | ドリンク | | | |
| 28 | 14 | 鈴木　愛実 | 女 | 1年 | ドリンク | | | |
| 29 | 16 | 多田　真麻 | 女 | 1年 | お好み焼き | | | |
| 30 | 19 | 菊地　亮 | 男 | 1年 | お好み焼き | | | |
| 31 | 20 | 古泉　一彦 | 男 | 1年 | 焼きそば | | | |

## 1 マクロ記録機能を利用してマクロを記述

　マクロ記録機能を利用して、1つ選択したセルの内容が「ドリンク」であれば、'青、アクセント1、白+基本色80%'に塗りつぶすマクロを記述する。
①担当屋台が「ドリンク」のセルをアクティブにする。
②［開発］タブ−＜コード＞−［マクロの記録］を選択する。

③「マクロの記録」ダイアログボックスが表示されたら、「マクロ名(M)」を「ブルー」、「マクロの保存先（I）」を「作業中のブック」と設定し、[OK]をクリックする。

④すでにセルが選択してあるのでそのまま［ホーム］タブー＜フォント＞－[塗りつぶしの色]を利用して'青、アクセント1、白＋基本色80%'に設定する。

⑤記録操作はここまでなので、［開発］タブー＜コード＞－［記録終了］を選択する。

<hr>

**練習11**　同様に次のようなマクロを作成してみよう。

選択したセルの内容が「ジャンボフランク」のときの「ゴールド」マクロ
　　　　　　　　　　「ホットケーキ」のときの「グレー」マクロ
　　　　　　　　　　「焼きそば」のときの「グリーン」マクロ

# 2　マクロ記述を修正

選択したセルの内容によって塗りつぶしの色を変えるよう、マクロ記述を修正する。

① VBE を起動する。

②選択したセルの内容によって、「オレンジ」「ブルー」「色なし」のマクロのどれを実行するか、「色分け」マクロを次のように修正する。

右図はサブプロシージャとして利用する「ブルー」マクロの記述位置が離れた場所にあるとわかりづらいので、切り取ってメインプロシージャ「色分け」の近くに貼り付けている。

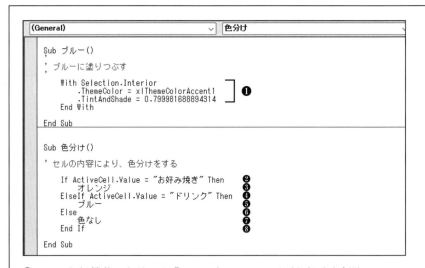

```
(General)                               色分け

Sub ブルー()
'  ブルーに塗りつぶす
      With Selection.Interior
          .ThemeColor = xlThemeColorAccent1
          .TintAndShade = 0.799981688894314       ❶
      End With
End Sub


Sub 色分け()
'  セルの内容により、色分けをする
      If ActiveCell.Value = "お好み焼き" Then         ❷
          オレンジ                                    ❸
      ElseIf ActiveCell.Value = "ドリンク" Then        ❹
          ブルー                                      ❺
      Else                                           ❻
          色なし                                      ❼
      End If                                         ❽

End Sub
```

❶マクロ記録機能で記述した「ブルー」マクロ。不要な部分を削除

❷（条件分岐の始まり）もし選択したセルの内容が「お好み焼き」という文字列ならば、

❸「オレンジ」マクロを実行する

❹そうではなくて、もし「ドリンク」という文字列ならば、

❺「ブルー」マクロを実行する

❻それ以外は、

❼「色なし」マクロを実行する

❽条件分岐を終了する

---

> マクロ作成のポイント

### 1. 条件を追加して処理をする `If...Then...ElseIf` ステートメント

条件が複数ある場合、`If...Then...Else` に `ElseIf` を追加して、最初の条件が成立しない（偽／ False）の場合に、次の条件ではどうかということでさらに処理を分けることができる。

```
<例>    If ActiveCell.Value >= 100 Then
             太字
        ElseIf ActiveCell.Value >= 50 Then
             斜体
        Else
             下線
        End If
```

上の例では、選択したセルの内容が「100 以上」であれば '太字' プロシージャを、100 以上ではないが「50 以上（100 未満）」である場合は '斜体' プロシージャを、そのどちらでもない（50 未満）の場合は '下線' プロシージャを実行する、というものである。

## 3　マクロボタンが登録されていることを確認し、実行

①[色分け]ボタンに修正した「色分け」マクロが登録されていることを確認する。
②担当屋台のセルについて、順に選択して[色分け]ボタンでそれぞれ色分けを実行する。

**練習 12**

「色分け」マクロに次の場合の条件を追加して、セルの色分けをしてみよう。
「ジャンボフランク」のときに「ゴールド」マクロを実行する。
「ホットケーキ」のときに「グレー」マクロを実行する。
「焼きそば」のときに「グリーン」マクロを実行する。

**練習 13**

学年の各セルのフォントの色が、3 年の場合は「紫」、2 年の場合は「緑」、1 年の場合は「濃い赤」となるようなマクロを作成してみよう。またセル G24：H25 の範囲に[学年で色分け]ボタンを作成してこれに登録し、実行してみよう。

<ヒント>

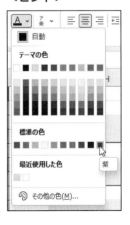

## 参考 マクロ記述（プロシージャ）の削除

間違ったマクロ記述や不要なマクロを削除するには、[開発] タブー＜コード＞ー [マクロ] を選択し、「マクロ」ダイアログボックスで削除したいマクロ名を選び、 削除 (D) をクリックする。

コードウィンドウ上で直接マクロ記述を削除してもよい。（右の画面は、練習 10 で任意の色をイエローとアクアで作成している。）

## 参考 マクロ記述の保存先

マクロを記録するときに表示されるダイアログボックスに「マクロの保存先 (I)」というのがある。通常は「作業中のブック」となっている。

これは、現在作業中のブックを Excel 上でマクロ有効ブックとして保存するとき、そのブック内にマクロ記述も一緒に保存される、ということである。

「マクロの保存先 (I)」はこのほかに、「新しいブック」「個人用マクロブック」があり、「新しいブック」とした場合、Excel 上に別のブックが新規作成され、そのブック内にマクロが保存される。これも「作業中のブック」を選択したときと同様、[名前を付けて保存]ー[Excel マクロ有効ブック] でブックを保存する必要がある。

これに対して「個人用マクロブック」を選んだ場合は、保存操作をしなくとも自動的に「Personal. Xlsx」という名前で保存される。通常マクロを実行するときは、実行したいマクロが保存されているブックが開かれていなければならないが（開いていれば他のブックからでもマクロの実行は可能である）、「Personal.Xlsx」は Excel を起動すると自動的に開かれる特殊なブックで、すべてのブックからそのマクロを実行することができる。したがってどのブックからも利用したいような使用頻度の高いマクロを保存しておくと便利な場合がある。

## 標準モジュールの挿入・表示・削除

### ■標準モジュールの挿入

　VBE では、メニューバーから [挿入 (I)]−[標準モジュール (M)] を利用して新しいモジュールシートを追加できる。

### ■マクロ記録機能と標準モジュールシート

　マクロ記録機能を利用して新しいマクロを記録すると、自動的に新しく標準モジュールを挿入する（Module1）。続けてマクロ記録機能を利用している間は同一のモジュールシートに追加で記述されていく。いったん Excel ブックを保存して閉じた後、またそのブックを開いて別途マクロ記録機能を利用すると、そのマクロ記述は新しいモジュールシートに記述される（Module2）。ただしモジュールシートが異なってもマクロの実行に差し障りはない。

### ■モジュールシートの表示切り替え

　複数のモジュールシートの表示を切り替えるには、プロジェクトエクスプローラで、表示したいモジュールをダブルクリックする。

### ■マクロ記述のまとまり

　マクロ記録機能を利用していると、記述が複数のモジュールシートにわたってしまうことがある。そのような場合は切り取り&貼り付けなどを利用し、メインプロシージャとサブプロシージャについて同じモジュールシートになるようにまとめたり、お互いに関連のあるプロシージャ同士を1つのモジュールシートにまとめたりすると、プロシージャ自体や、さらにその集合体であるプログラム全体の構成も把握しやすくなる。

### ■モジュールシートに名前を付ける

　プロジェクトエクスプローラで名前を付けるモジュールを選択し、プロパティウィンドウで [全体] タブの（オブジェクト名）で名前を入力できる。

### ■モジュールの削除（モジュールの解放）

　不要になったモジュールシートは、プロジェクトエクスプローラでシート名を右クリックし、[Module の解放 (R)] を選択し、 いいえ をクリックするとそのままモジュールシートが削除できる。

内容をエクスポートする（プロシージャの記述を別ファイルとして残す）場合は はい をクリックし、ファイル名を付けて保存する。保存されたファイル（〜 .Bas）は別のブックでインポートすればそこで利用できる。

ここに名前を入力

## 4 アクティブセルの移動

**例題 06**

「色分け」マクロは、選択した1つのセルについて塗りつぶすものだが、他のセルに対しても同じ条件で繰り返し塗りつぶしが行われると便利である。色分け処理を繰り返すためには、色分け後、アクティブセルを1つ下のセルに移動する必要がある。ここでは、色分けを自動化する前段階として、色分け後にアクティブセルを1つ下に移動するようなマクロを作成しよう。

### 今回作成するマクロ

「担当屋台」のセルの色分けは E2 から始めるが、色分け後に、アクティブセルを1つ下に移動することが必要である。ここではまず、セルを色分け後、アクティブセルを1つ下に移動する処理をマクロにしてみよう。

**（ファイル名「例題06－鉄板屋台村4」）**

| | A | B | C | D | E |
|---|---|---|---|---|---|
| 1 | 背番号 | 氏名 | 性別 | 学年 | 担当屋台 |
| 2 | 4 | 矢田部　由梨亜 | 女 | 3年 | ジャンボフランク |
| 3 | 5 | 小野寺　渉 | 男 | 4年 | 焼きそば |
| 4 | 5 | 高森　ひなこ | 女 | 2年 | お好み焼き |

色分け後1つ下へ移動

## 1 マクロを記述

色分け後、アクティブセルを1つ下に移動するマクロを記述する。

① 「背番号順」に並べ替え、担当屋台のセル（E2：E31）についてはいったんすべて ‘塗りつぶしなし’ にする。

② VBE を起動する。

③ 次のようにマクロを記述する。これは担当屋台のいずれかのセルを選択したものとして、「色分け」マクロを実行し、その後1つ下のセルをアクティブにする、という内容である。マクロ名は「色分け繰り返し」とする。（この状態ではまだ繰り返し処理はしていない）

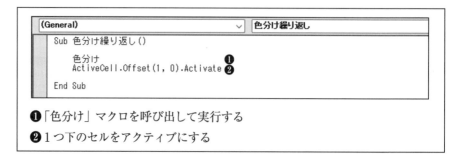

```
(General)                                    色分け繰り返し

    Sub 色分け繰り返し()

        色分け                                       ❶
        ActiveCell.Offset(1, 0).Activate             ❷

    End Sub
```

❶「色分け」マクロを呼び出して実行する

❷1つ下のセルをアクティブにする

44　第2章　記録マクロの利用

マクロ記述のポイント

### 1. 相対位置を指定する `Offset` プロパティ

`Offset` プロパティは、選択されたセルやセル範囲を基準にして、ワークシート上でのセルの位置を、（行方向，列方向）で相対的に示す。

```
<例>    Range("B2").Select
        ActiveCell.Offset(3, 2).Select
```

上の例では、選択されているセル B2 を基準にして、3 行下で 2 列右のセルを選択する。3 行上で 2 列左のセルを示す場合は（− 3, − 2）というように負の数を利用する。

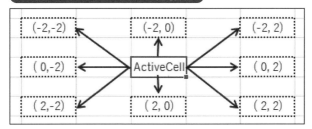

Offset プロパティによるセルの相対位置

## 2　マクロボタンを修正し、実行

①[色分け]ボタンを右クリックして［**マクロの登録 (N)**］を選択し、「マクロの登録」ダイアログボックスから「色分け繰り返し」を選んで、このボタンに対するマクロの登録を変更する。

②担当屋台のセルをどれか 1 つ選択し、[色分け]ボタンでマクロを実行する。

### 参考　モジュールの種類と標準モジュール

関連するプロシージャをまとめてモジュールに置いて管理する。

モジュールにはいくつかの種類があり、マクロ記録を利用した場合は「標準モジュール」に記述される。標準モジュールはプログラムの操作対象が特定のオブジェクトと関連付けられない場合に利用し、必要に応じて他のプロシージャから呼び出して使うことができる。

それに対してシートやブックを操作の対象として特定したプロシージャは「ドキュメントモジュール」に、作成したユーザーフォームに関連したプロシージャは「ユーザーフォームモジュール」に記述する。プロシージャを直接記述する場合は、プロジェクトエクスプローラで適切なモジュールを選択して記述する必要がある。

4　アクティブセルの移動　　**45**

# 5 繰り返しによる自動化

例題 07

　色分けしてアクティブセルを移動する、という一連の処理は、セルにデータが
ある間は繰り返し行いたい作業なので、これ自体もマクロになっていると便利で
ある。色分けの作業をどこから始めてどんな場合に終了するか、を考えることが
コツとなる。ここでは、代表的な繰り返し処理とその終了判定を組み立ててみよう。

## 今回作成するマクロ

　選択したセルを内容によって色分けしてアクティブセルを '1つ下' に移動する、
という一連の処理は、セル E2 から始めて順に次行へと繰り返し、データの最下行
まで色分け処理をして、セルが空白のとき処理を終了する。すでに作成してある「色
分け繰り返し」マクロに対して、繰り返し処理を追加記述して色分け作業が自動化
されるように修正してみよう。　　　　　　　**（ファイル名「例題 07－鉄板屋台村 5」）**

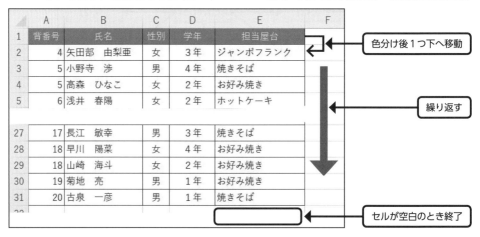

## 1　マクロ記述を修正

　繰り返しと終了判定を追加記述する。
①VBE を起動し、「色分け繰り返し」マクロを次のように修正する。

❶色分けしたい最初のセル E2 を選択する

❷繰り返し（ループ）の開始。現在選択されたセルが空白でないかどうか判断。
　空白ならば繰り返し（ループ）から抜けて❻へ

❸❷で空白でない場合は、色分けを実行

❹1つ下のセルをアクティブにする

❺繰り返し処理の先頭（❷）へもどる

❻処理終了後の画面表示のためセル A1 を選択する

---

### マクロ作成のポイント

データの下行で、空白
に見えていてもスペー
スの入ったセルが続い
ているような場合、色
分けの繰り返しはその
スペースの入っている
セルまで繰り返し処理
される（幸い"塗りつ
ぶしなし"になるので
影響は出ない）。
スペースのみなど不要
なデータは
Delete で削除し、
セルの内容を空（から）
にしておこう。

#### 1. 繰り返しと終了判定 Do While...Loop ステートメント

条件が真（True）である間、一連のステートメントを繰り返し実行する。条件が偽（False）となったとき繰り返し処理は終了する。

```
<例>    Do While ActivaCell.Value < 100
            太字
            下線
            ActiveCell.Offset(0, 1).Activate
        Loop
```

上の例ではアクティブなセルの内容が 100 未満であれば、'太字'および'下線'のサブプロシージャを実行し、さらに 1 つ右のセルをアクティブにする、という一連の処理を繰り返す。この処理はアクティブセルの内容が 100 未満である間は何回でももどって処理が繰り返され、ついにアクティブセルの内容が 100 未満でない場合、処理を行わずループから抜けて処理を終了する。この繰り返し処理では、ループの最初に条件の真偽を判定しているので、場合によっては繰り返しループを 1 度も通過せずに終了することもある。

#### 2. 文字列データがないことを判定する

色分けの作業は 1 つ移動してアクティブになったセルに文字が入力されていないときに終了となる。文字列が未入力であることを「""」であらわすことができるので、繰り返し処理の最初で終了判定をする論理式に利用している。

---

 参考

#### Empty 値と IsEmpty 関数

対象セルが空白かどうかを厳密に判断するとき、空白を表すものとして Empty 値がある。これは数値であれば 0、文字であれば長さ 0 と判断される値のことで、引数の値が Empty 値かどうかの真偽を IsEmpty 関数で求めることができる。

```
<例>    Do While IsEmpty(ActiveCell)
            ActiveCell.Offset(0, 1).Activate
        Loop
```

上の例ではアクティブなセルが空白である間は、アクティブセルを 1 つ右に移動する処理を繰り返す。終了条件の論理式が否定の論理演算子 Not IsEmpty(ActiveCell) となっていれば、選択されたセルが空白でない間、という条件になる。例題 07 はこれを終了判定としてもよい。

# 2 マクロボタンを確認し、実行

①[色分け]ボタンのマクロの登録が「色分け繰り返し」であることを確認する。
②[色分け]ボタンでマクロを実行する。

**練習 14**　「学年の色分け」を、セル D2 から始めて次行と繰り返し、セルが空白になったところで処理を終了するものに修正し、実行してみよう。

**練習 15**　性別にデータがなくなるまで学年のフォントの色を元に戻し、担当屋台の塗りつぶしをなしにする処理を繰り返す「色クリア」マクロを作成し、実行してみよう。

**参考**　**繰り返しと終了**

■**Do...Loop ステートメント**

　Do...Loop ステートメントは繰り返し処理の代表的な方法で、繰り返し回数はわからないが、終了する条件は決まっているような場合に使用する。

**(1)＜条件＞が成立する間は…を繰り返す**

　　**Do While ＜条件＞ ...Loop ステートメント**
　　**Do...Loop While ＜条件＞ステートメント**

　条件が成立する（真 =True）間はずっと一連の処理を繰り返し、条件が不成立（偽 =False）であるときに繰り返し処理を終了する。

**(2)＜条件＞が成立するまで…を繰り返す**

　　**Do Until ＜条件＞ ...Loop ステートメント**
　　**Do...Loop Until ＜条件＞ステートメント**

　条件が成立しない（偽 =False）のであれば一連の処理を繰り返し、条件が成立（真 =True）となったところで繰り返しを終了する。

**(3)終了判定**

　繰り返し処理を終了するための条件は一般に論理式で表わし、ループ処理に入る前に終了判定する場合と、少なくとも処理を1回実行した後で行う場合とがある。先に判定する場合は1度もループ処理を実行しない場合があり得る。

■**Exit Do ステートメント**

　ある特定の条件が満たされたときは途中であっても Do ループ処理から抜け出すためには、Exit Do ステートメントを利用する。ループ処理の途中に If...Then ステートメントを置き、条件が成立する（真 =True）ときに Exit Do でループから抜ける。条件が成立しない（偽 =False）場合はそのままループを続行することになる。Exit ステートメントにはこのほかに For ループから抜ける Exit For、プロシージャから途中で抜ける Exit Sub などがある。

```
<例>    Do While Not IsEmpty(ActiveCell)
            太字
            If ActiveCell.Value > 100 Then
                Exit Do
            End If
            ActiveCell.Offset(1, 0).Activate
        Loop
```

　上の例では、セルが空白でない間は‘太字’のサブプロシージャを実行してアクティブセルを1つ
下へ移動する処理を繰り返すが、途中、セルの内容が100未満ならば繰り返し処理を中断する。

■ **For...Next ステートメント**
　繰り返し回数がはっきりしているような場合に使う方法として For...Next ステートメントがあり、
次の特徴がある。

⑴ **回数を数えるための‘変数’を必要とする**

⑵ **変数の初期値・終了値を決め、その間一連の処理を繰り返す**

```
<例>    Dim i As Integer
        For i = 1 to 10 Step 2
                太字
                下線
                ActiveCell.Offset(1, 0).Activate
        Next i
```

　上の例では、整数型変数 i が 1 ～ 10 まで 2 刻みで増える間（都合 5 回）、‘太字’および‘下線’
のサブプロシージャを実行してアクティブセルを1つ下へ移動するという処理を繰り返す。
　なお、Step の増加値が 1 の場合は記述を省略でき、初期値と終了値によっては負の数を Step 値
とすることもできる。また、Next のあとの変数は省略できる。

# 6 抽出して印刷

**例題08**　条件によって一覧表から必要なデータを抽出して印刷するといった作業も、マクロを作成しておくと便利な場合が多い。フィルタ機能によるデータの抽出や列の非表示をマクロにして、必要なデータだけを印刷プレビューするマクロを作成してみよう。

## 今回作成するマクロ

担当屋台一覧表が完成したので、各屋台のリーダーにメンバー表を印刷して報告することになった。全員の名簿ではなく屋台ごとにデータを抽出した名簿を印刷することにした。ここではまず、担当屋台が'お好み焼き'であるデータを抽出して印刷プレビューするマクロを作成し、担当別名簿印刷ボタンに登録してみよう。このとき「背番号」「性別」「担当屋台」の列は印刷されないようにし非表示とし、ヘッダーの左側には抽出条件である'お好み焼き'を表示するように設定する。

**（ファイル名「例題08－鉄板屋台村6」）**

お好み焼き

| 氏名 | 学年 |
|------|------|
| 高森　ひなこ | 2年 |
| 伊東　祐輔 | 2年 |
| 相沢　里依 | 3年 |
| 多田　真麻 | 1年 |
| 早川　陽菜 | 4年 |
| 山崎　海斗 | 2年 |
| 菊地　亮 | 1年 |

## 1　マクロ記録機能を利用してマクロを記述し、マクロボタンに登録

担当屋台が'お好み焼き'であるデータを抽出して、不要な列を非表示とし、ヘッダーに'お好み焼き'と表示するよう設定するマクロを記録し、修正する。

①[開発]タブ－<コード>－[マクロの記録]を選択する。

②表内の任意のセルをアクティブとし、[データ]タブ－<並べ替えとフィルター>－[フィルタ]を選択してフィルタモードとする。

③「担当屋台」で「お好み焼き」を「✓」として抽出を実行する。

④A列、C列およびE列を選択し、右クリックして[非表示]を選択する。

> [Ctrl]を押しながら選択すると、複数列同時に選択できる。

⑤タスクバー上の[ページレイアウト]をクリックして表示モードをページレイアウトビューに切り替え、ヘッダーの左に「お好み焼き」と入力する。

⑥いったんワークシート内の任意のセルをアクティブとし[ファイル]－<印刷>を選択する。

⑦←でワークシートに戻る。

⑧タスクバー上の[標準]で表示モードをもどし、逆からの方が選択しやすいのでF～左端の列までドラッグして選択し、右クリックして[再表示]を選択する。

⑨[データ]タブ－<並べ替えとフィルター>－[クリア]を選択し、抽出条件を

条件のクリアは割愛してもよい。

解除してすべて表示する。

⑩[データ] タブー＜並べ替えとフィルター＞ー[フィルタ] を選択してフィルタモードを解除する。

⑪全体の画面を表示するためセル A1 をアクティブにする。

⑫記録操作はここまでなので、[開発] タブー＜コード＞ー[記録終了] を選択する。

⑬セル範囲 G15：H16 に 担当別名簿印刷 ボタンを作成し、マクロを登録する。

## 2 マクロ記述を修正

不要な記述が非常に多いのでそれを削除、修正する。

印刷や印刷プレビューの操作はマクロ記録されないので、メソッドを書き加える（❾）。プレビューではなく実際に印刷する場合は、❾のところで、PrintPreview を PrintOut とする。

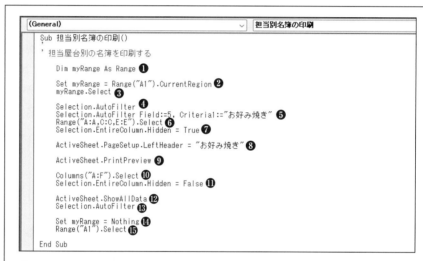

```
(General)                                                        担当別名簿の印刷

Sub 担当別名簿の印刷()
'
'   担当屋台別の名簿を印刷する

    Dim myRange As Range ❶

    Set myRange = Range("A1").CurrentRegion ❷
    myRange.Select ❸

    Selection.AutoFilter ❹
    Selection.AutoFilter Field:=5, Criteria1:="お好み焼き" ❺
    Range("A:A,C:C,E:E").Select ❻
    Selection.EntireColumn.Hidden = True ❼

    ActiveSheet.PageSetup.LeftHeader = "お好み焼き" ❽

    ActiveSheet.PrintPreview ❾

    Columns("A:F").Select ❿
    Selection.EntireColumn.Hidden = False ⓫

    ActiveSheet.ShowAllData ⓬
    Selection.AutoFilter ⓭

    Set myRange = Nothing ⓮
    Range("A1").Select ⓯

End Sub
```

ヘッダー入力のため表示モードを切り替えたことや [ページ設定] に関する項目が多数記録されるが、ここで必要なことはヘッダー左側の設定だけなので、それ以外の記述は削除する。

❶オブジェクト変数 myRange を宣言

❷myRange にセル A1 を開始位置とした連続するデータ範囲を代入。これにより抽出のデータ範囲を固定せずにその都度の範囲とすることができる

❸抽出の対象範囲として myRange を選択

❹フィルタモードにする

❺表の5列めで‘お好み焼き’を条件として抽出を実行する

❻A 列、C 列および E 列を選択

❼選択した列を非表示にする

❽ヘッダーの左に‘お好み焼き’を設定する

❾印刷プレビューする

❿A ～ F 列を選択する

⓫選択した列を再表示する

⓬抽出の条件をクリアし、全データを表示する

⓭フィルタモードを解除する

⓮myRange の内容を解放する

⓯画面表示のため A1 を選択

列の再表示とフィルタモードの解除はどちらが先でもかまわない。

# 7 抽出条件を選択して印刷

例題 09 例題 08 では抽出条件が固定されているが、印刷のたびに抽出条件を選ぶことができればさらに利便性が高くなる。条件を選ぶときは数字の入力だけで済ませられるように工夫して、マクロの記述を修正してみよう。

## 今回作成するマクロ

名簿の印刷プレビューをするときにどの担当屋台について印刷プレビューするか、テキストボックスに入力でき、この入力が抽出の条件になり、かつヘッダーとなるよう、マクロを修正してみよう。また、未入力だったりキャンセルだったりした場合や、あるいは想定外のデータが入力された場合は正しいデータを入力するようメッセージを表示して、いったんマクロの実行を中止するようにする。さらにまた、抽出時のデータ範囲について変数を設定し、データ範囲が変更した場合も適応できるようにする。（例題 03 参照）　　　**（ファイル名「例題 09−鉄板屋台村 7」）**

## 1　マクロ記述を修正

印刷プレビュー時にデータ入力をうながすダイアログボックスを表示し、入力された内容によって抽出条件が設定されるような条件分岐を考慮する。

メッセージ文中の Chr (13) は、メッセージ内に改行を入れることを示す。「&」はメッセージとなる文字列の連結を、「_」は行の連続を示す。

```
(General)                                           担当別名簿の印刷

Sub 担当別名簿の印刷()
' 担当屋台別の名簿を印刷する

    Dim myRange As Range, joken As String, yatai As String ❶
    yatai = InputBox("名簿を印刷する屋台を半角数字で入力してください" & Chr(13) & _
             "       1:お好み焼き" & Chr(13) & _
             "       2:ジャンボフランク" & Chr(13) & _               ❷
             "       3:ホットケーキ" & Chr(13) & _
             "       4:焼きそば" & Chr(13) & _
             "       5:ドリンク" , _
             "担当別名簿の印刷") _

    If yatai = "" Then ❸
        MsgBox "番号を正しく入力してやり直してください", , "実行中止" ❹
        Exit Sub ❺

    Else ❻
        Select Case yatai ❼
            Case 1
                joken = "お好み焼き"     ❽
            Case 2
```

```
                    joken = "ジャンボフランク"
                Case 3
                    joken = "ホットケーキ"
                Case 4
                    joken = "焼きそば"
                Case 5
                    joken = "ドリンク"
                Case Else
                    MsgBox "屋台の番号を入力してください"
                    Exit Sub ❾
        End Select ❿

        Set myRange = Range("A1").CurrentRegion
        myRange.Select

        Selection.AutoFilter
        Selection.AutoFilter Field:=5, Criteria1:=joken ⓫
        Range("A:A,C:C,E:E").Select
        Selection.EntireColumn.Hidden = True

        ActiveSheet.PageSetup.LeftHeader = joken ⓬

        ActiveSheet.PrintPreview

        Columns("A:F").Select
        Selection.EntireColumn.Hidden = False

        ActiveSheet.ShowAllData
        Selection.AutoFilter

        Set myRange = Nothing
        Range("A1").Select

    End If ⓭

End Sub
```

❶オブジェクト変数 myRange に加え、文字列型変数 joken と yatai を宣言

❷ yatai に、InputBox 関数を利用して抽出条件を数字入力させる

❸ If...Then...Else ステートメント。InputBox が未入力で変数 yatai が空白の場合、

❹ MsgBox 関数を利用して、メッセージを表示

❺プロシージャから抜け、実行中止とする

❻そうでなければ

❼ Select...Case ステートメント。変数 yatai の内容について場合分けする

❽変数 yatai が「1」の場合は、変数 joken に‘お好み焼き’を代入
　　以下、「2」〜「5」の場合も同様にそれぞれ joken に代入

❾「1」〜「5」以外の場合、メッセージを表示してプロシージャから抜ける

❿条件分岐の終了

⓫ joken を条件として抽出実行

⓬ヘッダー左に joken の内容を表示

⓭ If...Then...Else ステートメントの終了

---

## マクロ作成のポイント

### 1. `InputBox` 関数　`InputBox`（メッセージ文[，タイトル，既定値]）

任意のメッセージと文字列入力用のテキストボックスをもったダイアログボックスを表示する。通常は文字列型変数を用意して入力された内容を代入するようにする。

> InputBox 関数の引数のうち、[ ] で囲まれた部分は省略してかまわない。

```
<例>　Dim myCmt As String
      myCmt = InputBox("コメントを入力してください", "コメント入力")
      Range("C2").Value = myCmt
```

上の例では変数 myCmt を準備し、メッセージが「コメントを入力してください」、タイトルが「コメント入力」であるダイアログボックスを表示する。入力された内容はそのままセル C2 に表示される。

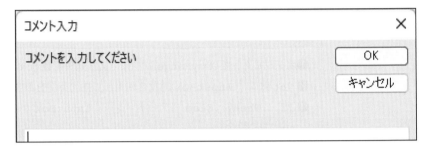

### 2. `MsgBox` 関数　`MsgBox` メッセージ文 [，ボタンやアイコンの種類，タイトル]

処理途中何らかの確認や警告など任意のメッセージを表示する。

> MsgBox 関数の引数のうち、[ ] で囲まれた部分は省略してかまわない。また、InputBox 関数と違い、引数を () で囲まなくてよい。

```
<例> MsgBox Range("C5").Value & "を削除します",,"削除確認"
```

セル C5 に「データ」という文字列があるとき、上の例では「(セル C5 の内容)を削除します」というメッセージで、タイトルが「削除確認」のメッセージボックスを表示する。この場合ボタンやアイコンの記述は省略しているので、OK ボタンのみがあるメッセージボックスとなる。

---

 **参考**

### Chr 関数

InputBox 関数や MsgBox 関数のメッセージ文中に、改行やタブなどの制御文字を入力するときに利用する。引数には文字を特定するためのコード番号を指定する。Chr(13) で改行（Enter）、Chr(9) で Tab が入力できる。

---

## 3. 多くの条件によって処理を分ける `Select...Case` ステートメント

1つの条件判断の対象に対していくつかの場合分けをし、それぞれの場合で異なる処理を実行する。処理分岐が多い場合は `If...Then...ElseIf` ステートメントよりも記述が簡潔でわかりやすくなる。

処理を分岐する条件は Case のあとに数値や文字列で直接記述する。複数ある場合は「,（カンマ）」で区切る。また「〜以上」などの場合は Case Is とし、比較演算子 (>= など)と組み合わせて記述する。

```
<例>    Select Case Range("C5").Value - Range("D5").Value
            Case Is > 0
                Range("E5").Value = "▲"
            Case Is = 0
                Range("E5").Value = "-"
            Case Is < 0
                Range("E5").Value = "▼"
        End Select
```

上の例では（セル C5 の値）−（セル D5 の値）を計算し、正数の場合はセル E5 に「▲」を、0 の場合は「−」を、負数の場合は「▼」を表示する。

**練習 16**

学年を条件として、氏名と担当屋台の一覧を印刷プレビューするマクロを作成し、学年別名簿の印刷ボタン（セル範囲 G27：H28）に登録し、実行してみよう。実行時に、抽出条件となる学年を記号（A・B・C）で選択でき、それに応じたヘッダー（左側）が設定されること。

## 売上一覧表を簡単に並べ替える

（ファイル名「実習問題 01 − 並べ替え」）

鉄板屋台村ではマネージャーがレジ係を務め、入金順に売上一覧表を作成した。入金順であるためバラバラな順番を、見やすいように並べ替えたい。

① 伝票番号順 ボタンをクリックすると、売上一覧表を伝票番号順に並べ替えるマクロを作成しなさい。

② 担当順 ボタンをクリックすると、売上一覧表を担当順に並べ替えるマクロを作成しなさい。担当が同じであれば商品名が五十音順になるようにする。

①も②も、入力途中であっても随時並べ替えができるように、並べ替え範囲について工夫すること。

**マクロ実行前**

| | A | B | C | D | E | F | G | H | I |
|---|---|---|---|---|---|---|---|---|---|
| 1 | 伝票番号 | 商品名 | 単価 | 数量 | 金額 | 担当 | | | |
| 2 | 4004 | ミックス | 200 | 2 | 400 | お好み班 | | | |
| 3 | 4050 | コーラ | 80 | 1 | 80 | ドリンク班 | | 伝票番号順 | |
| 4 | 4022 | ブタ玉 | 150 | 1 | 150 | お好み班 | | | |
| 5 | 4035 | イカ玉 | 150 | 2 | 300 | お好み班 | | | |
| 6 | 4023 | ウーロン茶 | 50 | 4 | 200 | ドリンク班 | | 担　当　順 | |
| 7 | 4024 | ホットケーキ | 140 | 2 | 280 | ケーキ班 | | | |
| 8 | 4025 | ホットケーキ | 140 | 2 | 280 | ケーキ班 | | | |
| 9 | 4029 | ジャンボフランク | 120 | 2 | 240 | フランク班 | | | |
| 10 | 4033 | ウーロン茶 | 50 | 1 | 50 | ドリンク班 | | | |
| 11 | 4010 | コーヒー | 80 | 1 | 80 | ドリンク班 | | | |
| 12 | 4056 | コーラ | 80 | 1 | 80 | ドリンク班 | | | |
| 13 | 4102 | コーラ | 80 | 2 | 160 | ドリンク班 | | | |
| 14 | 4121 | 焼きそば | 180 | 2 | 360 | 焼きそば班 | | | |
| 15 | 4067 | 焼きそば | 180 | 1 | 180 | 焼きそば班 | | | |
| 16 | 4088 | ホットケーキ | 140 | 1 | 140 | ケーキ班 | | | |
| 17 | 4038 | ミックス | 200 | 1 | 200 | お好み班 | | | |
| 18 | 4044 | ブタ玉 | 150 | 1 | 150 | お好み班 | | | |
| 19 | 4041 | イカ玉 | 150 | 2 | 300 | お好み班 | | | |
| 20 | 4078 | ウーロン茶 | 50 | 3 | 150 | ドリンク班 | | | |
| 21 | 4096 | オレンジジュース | 80 | 1 | 80 | ドリンク班 | | | |
| 22 | 4093 | コーヒー | 80 | 2 | 160 | ドリンク班 | | | |
| 23 | 4012 | ホットケーキ | 140 | 1 | 140 | ケーキ班 | | | |
| 24 | 4031 | コーヒー | 80 | 1 | 80 | ドリンク班 | | | |
| 25 | 4026 | 焼きそば | 180 | 2 | 360 | 焼きそば班 | | | |
| 26 | 4116 | ミックス | 200 | 3 | 600 | お好み班 | | | |
| 27 | 4072 | ウーロン茶 | 50 | 1 | 50 | ドリンク班 | | | |
| 28 | 4065 | ウーロン茶 | 50 | 1 | 50 | ドリンク班 | | | |
| 29 | 4054 | ブタ玉 | 150 | 2 | 300 | お好み班 | | | |
| 30 | 4084 | オレンジジュース | 80 | 1 | 80 | ドリンク班 | | | |
| 31 | 4128 | イカ玉 | 150 | 2 | 300 | お好み班 | | | |
| 32 | | | | | | | | | |

## 実習問題02　担当別にセルを色分けする

（ファイル名「実習問題02－色分け」）

　伝票番号順に並べ替えたときに担当がわかりやすいように、セルの塗りつぶしで色分けすることを考えた。

① 担当色分け ボタンをクリックすると、図のようにアクティブセルの内容によってセルに塗りつぶしが設定されるマクロを作成しなさい。塗りつぶしの色はそれぞれ任意とする。

② 色クリア ボタンをクリックすると、アクティブセルの塗りつぶしをなしにするマクロを作成しなさい。

| | A | B | C | D | E | F | G | H | I |
|---|---|---|---|---|---|---|---|---|---|
| 1 | 伝票番号 | 商品名 | 単価 | 数量 | 金額 | 担当 | | | |
| 2 | 4004 | ミックス | 200 | 2 | 400 | お好み班 | | | |
| 3 | 4010 | コーヒー | 80 | 1 | 80 | ドリンク班 | | 伝票番号順 | |
| 4 | 4012 | ホットケーキ | 140 | 1 | 140 | ケーキ班 | | | |
| 5 | 4022 | ブタ玉 | 150 | 1 | 150 | お好み班 | | | |
| 6 | 4023 | ウーロン茶 | 50 | 4 | 200 | ドリンク班 | | 担　当　順 | |
| 7 | 4024 | ホットケーキ | 140 | 2 | 280 | ケーキ班 | | | |
| 8 | 4025 | ホットケーキ | 140 | 2 | 280 | ケーキ班 | | | |
| 9 | 4026 | 焼きそば | 180 | 2 | 360 | 焼きそば班 | | 担当色分け | |
| 10 | 4029 | ジャンボフランク | 120 | 2 | 240 | フランク班 | | | |
| 11 | 4031 | コーヒー | 80 | 1 | 80 | ドリンク班 | | | |
| 12 | 4033 | ウーロン茶 | 50 | 1 | 50 | ドリンク班 | | 色クリア | |
| 13 | 4035 | イカ玉 | 150 | 2 | 300 | お好み班 | | | |
| 14 | 4038 | ミックス | 200 | 1 | 200 | お好み班 | | | |
| 15 | 4041 | イカ玉 | 150 | 2 | 300 | お好み班 | | | |
| 16 | 4044 | ブタ玉 | 150 | 1 | 150 | お好み班 | | | |
| 17 | 4050 | コーラ | 80 | 1 | 80 | ドリンク班 | | | |
| 18 | 4054 | ブタ玉 | 150 | 2 | 300 | お好み班 | | | |
| 19 | 4056 | コーラ | 80 | 1 | 80 | ドリンク班 | | | |
| 20 | 4065 | ウーロン茶 | 50 | 1 | 50 | ドリンク班 | | | |
| 21 | 4067 | 焼きそば | 180 | 1 | 180 | 焼きそば班 | | | |
| 22 | 4072 | ウーロン茶 | 50 | 1 | 50 | ドリンク班 | | | |
| 23 | 4078 | ウーロン茶 | 50 | 3 | 150 | ドリンク班 | | | |
| 24 | 4084 | オレンジジュース | 80 | 1 | 80 | ドリンク班 | | | |
| 25 | 4088 | ホットケーキ | 140 | 1 | 140 | ケーキ班 | | | |
| 26 | 4093 | コーヒー | 80 | 2 | 160 | ドリンク班 | | | |
| 27 | 4096 | オレンジジュース | 80 | 1 | 80 | ドリンク班 | | | |
| 28 | 4102 | コーラ | 80 | 2 | 160 | ドリンク班 | | | |
| 29 | 4116 | ミックス | 200 | 3 | 600 | お好み班 | | | |
| 30 | 4121 | 焼きそば | 180 | 2 | 360 | 焼きそば班 | | | |
| 31 | 4128 | イカ玉 | 150 | 2 | 300 | お好み班 | | | |
| 32 | | | | | | | | | |

（ファイル名「実習問題 03－自動色分け」）

　ある程度データが入力されたところで、セルの塗りつぶしや塗りつぶしなしの操作を、アクティブなセルに 1 つずつ行うのではなく、データがある範囲で一気に行いたい。

① 担当色分け ボタンをクリックすると、F2 から順にセルが空白になるまで（入力された範囲まで）色分け処理を繰り返すようにマクロを編集しなさい。

② 色クリア ボタンをクリックすると、F2 から順にセルが空白になるまで塗りつぶしをなしにする処理を繰り返すようにマクロを編集しなさい。

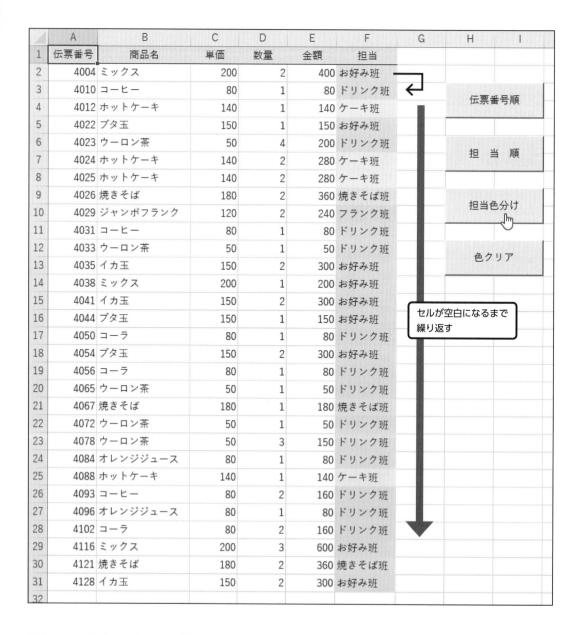

| | A | B | C | D | E | F |
|---|---|---|---|---|---|---|
| 1 | 伝票番号 | 商品名 | 単価 | 数量 | 金額 | 担当 |
| 2 | 4004 | ミックス | 200 | 2 | 400 | お好み班 |
| 3 | 4010 | コーヒー | 80 | 1 | 80 | ドリンク班 |
| 4 | 4012 | ホットケーキ | 140 | 1 | 140 | ケーキ班 |
| 5 | 4022 | ブタ玉 | 150 | 1 | 150 | お好み班 |
| 6 | 4023 | ウーロン茶 | 50 | 4 | 200 | ドリンク班 |
| 7 | 4024 | ホットケーキ | 140 | 2 | 280 | ケーキ班 |
| 8 | 4025 | ホットケーキ | 140 | 2 | 280 | ケーキ班 |
| 9 | 4026 | 焼きそば | 180 | 2 | 360 | 焼きそば班 |
| 10 | 4029 | ジャンボフランク | 120 | 2 | 240 | フランク班 |
| 11 | 4031 | コーヒー | 80 | 1 | 80 | ドリンク班 |
| 12 | 4033 | ウーロン茶 | 50 | 1 | 50 | ドリンク班 |
| 13 | 4035 | イカ玉 | 150 | 2 | 300 | お好み班 |
| 14 | 4038 | ミックス | 200 | 1 | 200 | お好み班 |
| 15 | 4041 | イカ玉 | 150 | 2 | 300 | お好み班 |
| 16 | 4044 | ブタ玉 | 150 | 1 | 150 | お好み班 |
| 17 | 4050 | コーラ | 80 | 1 | 80 | ドリンク班 |
| 18 | 4054 | ブタ玉 | 150 | 2 | 300 | お好み班 |
| 19 | 4056 | コーラ | 80 | 1 | 80 | ドリンク班 |
| 20 | 4065 | ウーロン茶 | 50 | 1 | 50 | ドリンク班 |
| 21 | 4067 | 焼きそば | 180 | 1 | 180 | 焼きそば班 |
| 22 | 4072 | ウーロン茶 | 50 | 1 | 50 | ドリンク班 |
| 23 | 4078 | ウーロン茶 | 50 | 3 | 150 | ドリンク班 |
| 24 | 4084 | オレンジジュース | 80 | 1 | 80 | ドリンク班 |
| 25 | 4088 | ホットケーキ | 140 | 1 | 140 | ケーキ班 |
| 26 | 4093 | コーヒー | 80 | 2 | 160 | ドリンク班 |
| 27 | 4096 | オレンジジュース | 80 | 1 | 80 | ドリンク班 |
| 28 | 4102 | コーラ | 80 | 2 | 160 | ドリンク班 |
| 29 | 4116 | ミックス | 200 | 3 | 600 | お好み班 |
| 30 | 4121 | 焼きそば | 180 | 2 | 360 | 焼きそば班 |
| 31 | 4128 | イカ玉 | 150 | 2 | 300 | お好み班 |
| 32 | | | | | | |

伝票番号順

担　当　順

担当色分け

色クリア

セルが空白になるまで繰り返す

<table>
<tr><th>実習問題 04</th><th>担当別に印刷する</th></tr>
</table>

（ファイル名「実習問題 04－担当別印刷」）

売上データを要求された時点でその都度売上状況を担当リーダーに報告したい。

[印刷]ボタンをクリックすると、印刷したい担当について入力をうながし、入力内容に応じてデータを抽出して印刷プレビューするマクロを作成しなさい。ただし印刷時に商品名が五十音順になるように並べ替え、ヘッダーの左に担当が表示されるようにすること。また担当が未入力だったりキャンセルをクリックしたり、入力があっても該当しないデータが入力された場合には、メッセージを表示して実行を中止するよう工夫すること。

2章

| | A | B | C | D | E | F | G | H | I |
|---|---|---|---|---|---|---|---|---|---|
| 1 | 伝票番号 | 商品名 | 単価 | 数量 | 金額 | 担当 | | | |
| 2 | 4004 | ミックス | 200 | 2 | 400 | お好み班 | | | |
| 3 | 4010 | コーヒー | 80 | 1 | 80 | ドリンク班 | | 伝票番号順 | |
| 4 | 4012 | ホットケーキ | 140 | 1 | 140 | ケーキ班 | | | |
| 5 | 4022 | ブタ玉 | 150 | 1 | 150 | お好み班 | | | |
| 6 | 4023 | ウーロン茶 | 50 | 4 | 200 | ドリンク班 | | 担　当　順 | |
| 7 | 4024 | ホットケーキ | 140 | 2 | 280 | ケーキ班 | | | |
| 8 | 4025 | ホットケーキ | 140 | 2 | 280 | ケーキ班 | | | |
| 9 | 4026 | 焼きそば | 180 | 2 | 360 | 焼きそば班 | | 担当色分け | |
| 10 | 4029 | ジャンボフランク | 120 | 2 | 240 | フランク班 | | | |
| 11 | 4031 | コーヒー | 80 | 1 | 80 | ドリンク班 | | | |
| 12 | 4033 | ウーロン茶 | 50 | 1 | 50 | ドリンク班 | | 色クリア | |
| 13 | 4035 | イカ玉 | 150 | 2 | 300 | お好み班 | | | |
| 14 | 4038 | ミックス | 200 | 1 | 200 | お好み班 | | | |
| 15 | 4041 | イカ玉 | 150 | 2 | 300 | お好み班 | | 印　刷 | |
| 16 | 4044 | ブタ玉 | 150 | 1 | 150 | お好み班 | | | |
| 17 | 4050 | コーラ | 80 | 1 | 80 | ドリンク班 | | | |

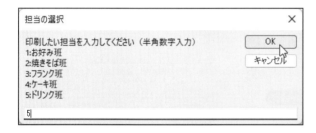

担当の選択 ✕

印刷したい担当を入力してください（半角数字入力）
1:お好み班
2:焼きそば班
3:フランク班
4:ケーキ班
5:ドリンク班

5

OK
キャンセル

実行中止 ✕

番号で担当を選んでやり直してください

OK

**印刷プレビュー時**

ドリンク班

| 伝票番号 | 商品名 | 単価 | 数量 | 金額 |
|---|---|---|---|---|
| 4023 | ウーロン茶 | 50 | 4 | 200 |
| 4033 | ウーロン茶 | 50 | 1 | 50 |
| 4065 | ウーロン茶 | 50 | 1 | 50 |
| 4072 | ウーロン茶 | 50 | 1 | 50 |
| 4078 | ウーロン茶 | 50 | 3 | 150 |
| 4084 | オレンジジュース | 80 | 1 | 80 |
| 4096 | オレンジジュース | 80 | 1 | 80 |
| 4010 | コーヒー | 80 | 1 | 80 |
| 4031 | コーヒー | 80 | 1 | 80 |
| 4093 | コーヒー | 80 | 2 | 160 |
| 4050 | コーラ | 80 | 1 | 80 |
| 4056 | コーラ | 80 | 1 | 80 |
| 4102 | コーラ | 80 | 2 | 160 |

### 第 3 章

# ワークシートを便利にするマクロ

## 1 関数とマクロを利用した個別データの印刷

**例題 10**　　一覧表にあるデータを一件分ずつ取り出し、個別票にしてデータ件数分を連続して印刷することがある。売上一覧表から得意先別に請求書を作成したり、成績一覧表から個人別の成績票を作成したりできると便利である。ここでは、VLOOKUP 関数と簡単なマクロを利用して売上一覧表から各支店別の売上票を印刷してみよう。

### 今回作成するマクロ

　　Sheet2 の支店別売上票にある ［印刷］ ボタンを押すと Sheet1 の売上一覧表の「支店番号、支店名、各月の売上高、合計、平均」の値とグラフが表示された支店別売上票が支店件数分連続印刷される。　　　　**（ファイル名「例題 10−売上一覧表 1」）**

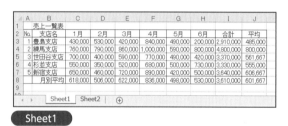

Sheet1

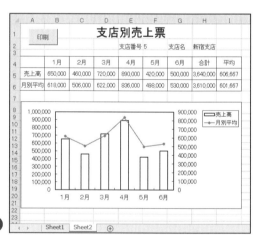

Sheet2

## 1　ワークシートにデータを入力

①新規作成したワークシートの Sheet1 に下のような売上一覧表を作成しデータを入力する。（合計は SUM、平均は AVERAGE、式の複写にオートフィルを利用する。）

| | A | B | C | D | E | F | G | H | I | J |
|---|---|---|---|---|---|---|---|---|---|---|
| 1 | | 売上一覧表 | | | | | | | | |
| 2 | No. | 支店名 | 1月 | 2月 | 3月 | 4月 | 5月 | 6月 | 合計 | 平均 |
| 3 | 1 | 豊島支店 | 430,000 | 530,000 | 420,000 | 840,000 | 490,000 | 200,000 | 2,910,000 | 485,000 |
| 4 | 2 | 練馬支店 | 760,000 | 790,000 | 860,000 | 1,000,000 | 590,000 | 800,000 | 4,800,000 | 800,000 |
| 5 | 3 | 世田谷支店 | 700,000 | 400,000 | 590,000 | 770,000 | 490,000 | 420,000 | 3,370,000 | 561,667 |
| 6 | 4 | 杉並支店 | 550,000 | 350,000 | 520,000 | 680,000 | 500,000 | 730,000 | 3,330,000 | 555,000 |
| 7 | 5 | 新宿支店 | 650,000 | 460,000 | 720,000 | 890,000 | 420,000 | 500,000 | 3,640,000 | 606,667 |
| 8 | | 月別平均 | 618,000 | 506,000 | 622,000 | 836,000 | 498,000 | 530,000 | 3,610,000 | 601,667 |

Sheet1　Sheet2

② Sheet2 に次のような支店別売上票の枠を作成し、F2 に「1」を入力しておく。

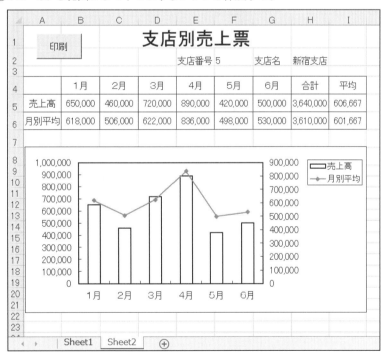

| | A | B | C | D | E | F | G | H | I |
|---|---|---|---|---|---|---|---|---|---|
| 1 | | | | 支店別売上票 | | | | | |
| 2 | | | | | 支店番号 1 | | 支店名 | | |
| 3 | | | | | | | | | |
| 4 | | 1月 | 2月 | 3月 | 4月 | 5月 | 6月 | 合計 | 平均 |
| 5 | 売上高 | | | | | | | | |
| 6 | 月別平均 | | | | | | | | |

③ Sheet2 に次のような参照式を入力する。

(1) H2 に「=VLOOKUP($F$2,Sheet1!$A$3:$J$7,2,0)」と入力し、Sheet1 の支店名を参照させる。

(2) B5 に「=VLOOKUP($F$2,Sheet1!$A$3:$J$7,3,0)」と入力し、Sheet1 の 1 月の売上高を参照させる。同様にして C5 ～ I5 にも売上高を参照させる式を入力する。

(3) B6 に「=Sheet1!C8」と入力し、Sheet1 の 1 月の月別平均を参照させる。同様にして C6 ～ I6 にも各月の月別平均を参照させる式を入力する。

(4) すべての参照式が入力されたら、支店番号「1」の豊島支店のデータが参照されていることを確認する。

④ A4：G6 を範囲として下のようなグラフを作成する。

⑤ ファイル名「例題 10 –売上一覧表 1」で保存する。

........................................................................................................

**練習 17** 　F2 に他の支店番号を入力して、実際に支店名、売上高、グラフが表示されるか確認してみよう。

## 2　マクロを記述

① VBE を起動させる。

②[挿入（I）]－[標準モジュール（M)] で標準モジュールシートを追加する。

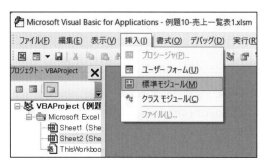

　　プロジェクトエクスプローラに標準モジュールフォルダと Module1 が追加され、標準モジュールシートが表示される。

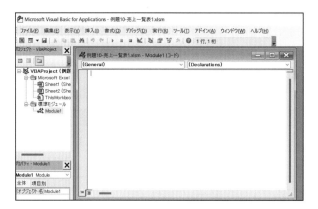

③標準モジュールシートにマクロ名を「例題 10」として次のようにマクロを記述する。

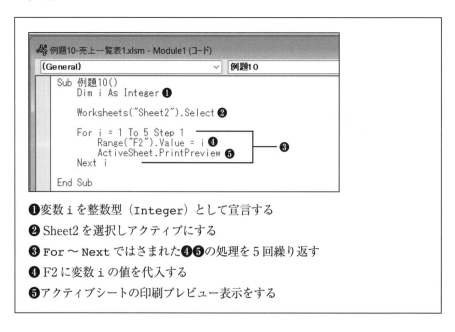

```
Sub 例題10()
    Dim i As Integer ❶

    Worksheets("Sheet2").Select ❷

    For i = 1 To 5 Step 1
        Range("F2").Value = i ❹          ❸
        ActiveSheet.PrintPreview ❺
    Next i

End Sub
```

❶変数 i を整数型（Integer）として宣言する

❷Sheet2 を選択しアクティブにする

❸For ～ Next ではさまれた❹❺の処理を 5 回繰り返す

❹F2 に変数 i の値を代入する

❺アクティブシートの印刷プレビュー表示をする

## マクロ作成のポイント

### 1. マクロ内で使用する変数は **Dim** ステートメントを使って

> Dim **変数名** As **データ型**

のように記述し、使用を宣言する。

 **参考　変数・変数名・データ型とは**

変数名は下記の規則により付ける。

・アルファベット、数字、漢字、ひらがな、カタカナ、アンダースコアからなる半角 255 文字以内の文字列。

・数字とアンダースコアは、先頭には使えない。

・大文字と小文字の区別はない。

　マクロに変数を使用すると繰り返しなどの処理が簡潔に記述でき、マクロ作成がしやすくなるという利点がある。

---

**練習 18**

　扱われるデータが整数値（1 から 1000 まで）のデータを格納する変数名「j」を、Dim ステートメントで宣言する記述を考えてみよう。また、扱われるデータが文字列を格納する変数名「moji」を Dim ステートメントで宣言する記述を考えてみよう。

### 2. マクロ内でワークシートを使用するには **Worksheets** プロパティを使って

> Worksheets( **シート名** )

のように記述する。さらにそのシートを選択するには Select メソッドを使って

> Worksheets( **シート名** ).Select

のように記述する。

### 3. マクロ内でセル位置を指定するには **Range** プロパティを使って

> Range( **セル番地** )

セル位置の指定は Cells プロパティでも行える。

のように記述する。さらにそのセルの値を示すには Value プロパティを使って

> Range( **セル番地** ).Value

のように記述する。

---

**練習 19**

　シート名「Sheet3」を選択し、そのシートの「A1」のセルの値に「120」の整数値を代入するマクロ記述を考えてみよう。

### 4. 繰り返し処理に便利な **For...Next** ステートメント

Value プロパティは省略できるので右の❹は Range（"F2"）= i でもよい。

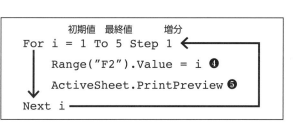

```
       初期値  最終値    増分
For i = 1 To 5 Step 1
      Range("F2").Value = i ❹
      ActiveSheet.PrintPreview ❺
Next i
```

3
章

最初に変数 i に初期値の「1」が代入され、以下の処理が行われる。

❹ F2 に変数 i の値「1」が代入される

❺ アクティブシート（Sheet2）を印刷プレビューで表示する

次に変数 i が Step で記述した増分「1」増加し、「2」に変化して以下の処理が行われる。

❹ F2 に変数 i の値「2」が代入される

❺ アクティブシート（Sheet2）を印刷プレビューで表示する

というように i が To で記述した最終値の「5」になるまで❹❺の処理が行われる。

なお、❺の印刷プレビュー処理が行われる前にワークシート上では、「F2」のセルに代入された値をもとに VLOOKUP 関数が、Sheet1 の売上一覧表から Sheet2 の支店別売上票に支店名と各月の売上高などを参照する処理が行われる。

---

 **印刷プレビューの表示**

マクロ作成中に、マクロをテスト実行するたびに印刷をしては用紙の無駄になるので、マクロ完成までは実際に印刷するかわりにプレビュー画面で印刷結果を確認する。完成したら❺の部分を PrintPreview メソッドから PrintOut メソッドに変更する。

```
ActiveSheet.PrintPreview    ➡    ActiveSheet.PrintOut
```

---

 **Option Explicit ステートメント**

VBA では、マクロのためにあらかじめ用意されている単語（キーワード）以外の用語はすべてユーザーが独自に定義した変数（バリアント型）として処理を進めるため変数名の記述ミスをしても何のエラーも返してくれない。そこで、こうしたトラブルを避けるためにモジュールの先頭に Option Explicit を記述し、使用する変数名について明示的な宣言をする。これにより、そのモジュール内では Dim ステートメントで宣言した変数以外の用語を使うとエラーが表示され、変数の入力ミスが防げる。

Option Explicit の宣言を自動的に挿入するには [ツール (T)] - [オプション (O)] の編集で「変数の宣言を強制する (R)」というチェックボックスをオンにする。

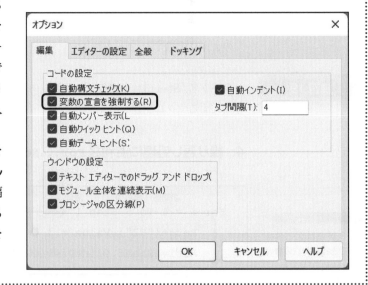

## 3 ボタンを作成して、マクロを登録する

① Sheet2 を表示する。[開発] タブ-<コントロール>-[挿入]-[フォームコントロール] の □ [ボタン] を選択し、ワークシート上の「ボタン」を作成する位置でドラッグする。

「ボタン」をクリックする

「ボタン」を作成する
位置でドラッグする

② 自動的に「マクロの登録」ダイアログボックスが表示されるので、「例題 10」をクリックし、[OK] をクリックする。

右図では [OK] をクリックしないと「ボタン 1」と表示されない。また、必ずしも「ボタン 1」と表示されるわけではない。

[OK] をクリックするとボタンにマクロが登録され、「マクロの登録」ダイアログボックスが消え、ボタンが作成される。

③ ボタンが作成され、ボタン上のテキストが編集可能な状態となるので、「ボタン 1」を削除して、「印刷」と入力する。編集可能な状態を解除するには、適当なセルをクリックする。

## 4 マクロの確認

Sheet2 の [印刷] ボタンをクリックすると、一件目の「支店別売上票」が印刷プレビュー表示される。[印刷プレビューを閉じる] ボタンをクリックするごとに各支店分の「支店別売上票」が印刷プレビュー表示され、[印刷プレビューを閉じる] ボタンを 5 回クリックすることによりマクロは終了する。

また、印刷処理に変更（PrintOut メソッドに変更）した場合には印刷プレビューは表示されず「支店別売上票」が 5 枚印刷される。

## 2 マクロのみを利用した個別データの印刷

**例題 11**　一覧表のデータの中で条件に合ったものを取り出して処理するなど、より細かな処理をしなければならない場合は、VLOOKUP 関数でデータを参照するのではなくマクロ内で一覧表からデータを取り出し転記する処理が必要になる。例題 10 と同じ処理を VLOOKUP 関数は利用せず、マクロ内で転記処理を行ってみよう。

### 今回作成するマクロ

Sheet3 の支店別売上票にある　印刷　ボタンを押すと Sheet1 の売上一覧表の「支店番号、支店名、各月の売上高、合計、平均」の値とグラフが表示された支店別売上票が支店件数分連続印刷される。　**（ファイル名「例題 11 −売上一覧表 2」）**

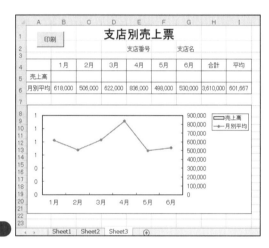

Sheet1

Sheet3

### 1　ワークシートにデータを入力

①ファイル名「例題 10 −売上一覧表 1」を開く。

② Sheet3 に次のような支店別売上票の枠を作成する。

| A | B | C | D | E | F | G | H | I |
|---|---|---|---|---|---|---|---|---|
| | | | 支店別売上票 | | | | | |
| | | | 支店番号 | | 支店名 | | | |
| | 1月 | 2月 | 3月 | 4月 | 5月 | 6月 | 合計 | 平均 |
| 売上高 | | | | | | | | |
| 月別平均 | | | | | | | | |

③ Sheet3 に次のような参照式を入力する。

B6 に「=Sheet1!C8」と入力し、Sheet1 の 1 月の月別平均を参照させる。

同様にして C6 〜 I6 にも各月の月別平均を参照させる式を入力する。

④ A4：G6 を範囲としてグラフを作成する。

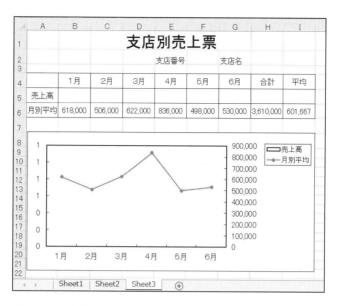

⑤ファイル名「例題 11 - 売上一覧表 2」で保存する。

## 2 マクロを記述

① VBE を起動させる。

②[挿入 (I)] - [標準モジュール (M)] で標準モジュールシートを追加し、マクロ名「例題 11」として次のようにマクロを記述する。

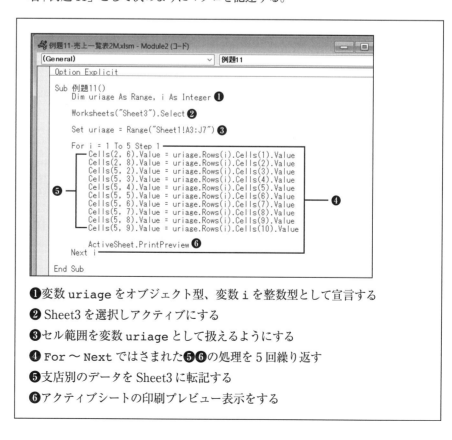

```
Option Explicit

Sub 例題11()
    Dim uriage As Range, i As Integer ❶

    Worksheets("Sheet3").Select ❷

    Set uriage = Range("Sheet1!A3:J7") ❸

    For i = 1 To 5 Step 1
        Cells(2, 6).Value = uriage.Rows(i).Cells(1).Value
        Cells(2, 8).Value = uriage.Rows(i).Cells(2).Value
        Cells(5, 2).Value = uriage.Rows(i).Cells(3).Value
        Cells(5, 3).Value = uriage.Rows(i).Cells(4).Value
        Cells(5, 4).Value = uriage.Rows(i).Cells(5).Value
        Cells(5, 5).Value = uriage.Rows(i).Cells(6).Value
        Cells(5, 6).Value = uriage.Rows(i).Cells(7).Value
        Cells(5, 7).Value = uriage.Rows(i).Cells(8).Value
        Cells(5, 8).Value = uriage.Rows(i).Cells(9).Value
        Cells(5, 9).Value = uriage.Rows(i).Cells(10).Value

        ActiveSheet.PrintPreview ❻
    Next i

End Sub
```

❶ 変数 uriage をオブジェクト型、変数 i を整数型として宣言する

❷ Sheet3 を選択しアクティブにする

❸ セル範囲を変数 uriage として扱えるようにする

❹ For ～ Next ではさまれた❺❻の処理を 5 回繰り返す

❺ 支店別のデータを Sheet3 に転記する

❻ アクティブシートの印刷プレビュー表示をする

## 1. セル範囲を変数として扱うには

まず

```
Dim uriage As Range
```

のように変数 uriage をオブジェクト型変数として宣言する。次に

```
Set uriage = Range("Sheet1!A3:J7")
```

のように Set ステートメントを使って「Sheet1 のセル A3 から J7」のセル範囲の内容が、変数 uriage から参照できるようにする。

オブジェクト型変数に値を設定するには、通常のように「=」で結ぶのでは行えず、Set ステートメントが必要になる。また、セル範囲を変数として定義することによりセル範囲の変更は最初の Set ステートメントの部分だけで済むので、セル範囲の指定が容易になる。

> オブジェクトとは Excel の中で扱っている「1 つのセル」「セル範囲」「ワークシート」「グラフ」「ブック」などのものを全部オブジェクトと呼ぶ。

| | A | B | C | D | E | F | G | H | I | J |
|---|---|---|---|---|---|---|---|---|---|---|
| 1 | | 売上一覧表 | | | | | | | | |
| 2 | No. | 支店名 | 1月 | 2月 | 3月 | 4月 | 5月 | 6月 | 合計 | 平均 |
| 3 | 1 | 豊島支店 | 430,000 | 530,000 | 420,000 | 840,000 | 490,000 | 200,000 | 2,910,000 | 485,000 |
| 4 | 2 | 練馬支店 | 760,000 | 790,000 | 860,000 | 1,000,000 | 590,000 | 800,000 | 4,800,000 | 800,000 |
| 5 | 3 | 世田谷支店 | 700,000 | 400,000 | 590,000 | 770,000 | 490,000 | 420,000 | 3,370,000 | 561,667 |
| 6 | 4 | 杉並支店 | 550,000 | 350,000 | 520,000 | 680,000 | 500,000 | 730,000 | 3,330,000 | 555,000 |
| 7 | 5 | 新宿支店 | 650,000 | 460,000 | 720,000 | 890,000 | 420,000 | 500,000 | 3,640,000 | 606,667 |
| 8 | | 月別平均 | 618,000 | 506,000 | 622,000 | 836,000 | 498,000 | 530,000 | 3,610,000 | 601,667 |
| 9 | | | | | | | | | | |

Sheet1　Sheet2　Sheet3　⊕

この範囲。「Sheet1!A3:J7」が uriage と同じものとなる。

## 2. データの転記処理はオブジェクト変数 uriage を参照することで行う

For...Next ステートメントにより最初に i に「1」が代入され uriage.Rows(1) となる。Rows プロパティに「1」を指定することによりセル範囲 uriage の 1 行目が参照される。

### uriage

| 1 | 豊島支店 | 430,000 | 530,000 | 420,000 | 840,000 | 490,000 | 200,000 | 2,910,000 | 485,000 | → uriage.Rows(1) |
|---|---|---|---|---|---|---|---|---|---|---|
| 2 | 練馬支店 | 760,000 | 790,000 | 860,000 | 1,000,000 | 590,000 | 800,000 | 4,800,000 | 800,000 | → uriage.Rows(2) |
| 3 | 世田谷支店 | 700,000 | 400,000 | 590,000 | 770,000 | 490,000 | 420,000 | 3,370,000 | 561,667 | → uriage.Rows(3) |
| 4 | 杉並支店 | 550,000 | 350,000 | 520,000 | 680,000 | 500,000 | 730,000 | 3,330,000 | 555,000 | → uriage.Rows(4) |
| 5 | 新宿支店 | 650,000 | 460,000 | 720,000 | 890,000 | 420,000 | 500,000 | 3,640,000 | 606,667 | → uriage.Rows(5) |

さらに、Cells プロパティに「1」を指定することによりセル範囲 uriage の 1 行目の左から 1 番目のセルの内容が参照される。

### uriage.Rows(1)

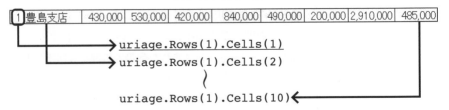

| 1 | 豊島支店 | 430,000 | 530,000 | 420,000 | 840,000 | 490,000 | 200,000 | 2,910,000 | 485,000 |
|---|---|---|---|---|---|---|---|---|---|

```
→ uriage.Rows(1).Cells(1)
→ uriage.Rows(1).Cells(2)
  }
→ uriage.Rows(1).Cells(10)
```

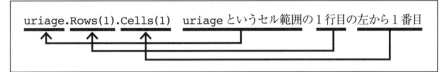

uriage.Rows(1).Cells(1)　uriage というセル範囲の 1 行目の左から 1 番目

「=」により uriage.Rows(1).Cells(1) の内容「1」の支店番号がアクティブ
シートの F2（Sheet3 の Cells(2, 6)）に代入される。

以下同様の手順で Sheet1 支店別データが、Sheet3 支店別売上票に転記される。

**練習 20**　　uriage.Rows(5).Cells(6) の内容は何か考えてみよう。また、世田谷支店の 6
月の売上高はオブジェクト変数 uriage を使ってどのように記述するか考えてみよう。

---

## Cells プロパティによるセル位置の記述方法

B2 のセル位置は次のように記述できる。

Cells(2, 2)　　　　引数を（行番号、列番号）で指定
Cells(2, "B")　　　引数を（行番号、列文字列）で指定
Cells(16386)　　　引数を（番号）のみで指定
　番号はセル範囲内の左上（A1）から始
めて、右に移動しながら数え、その行の
最後まできたら、次の行に移って数える。

---

## セル範囲の記述方法

マクロ内でセル範囲を指定するには Range プロパティを使って

　　Range( **セル範囲** )

で記述する。セル範囲は文字列で指定する場合と Cells プロパティを使用して指定する場合がある。
　たとえば、B2 : D5 のセル範囲は次のように記述できる。

　　Range("B2:D5")

　　Range(Cells(2, 2), Cells(5, 4))

また、シート名（たとえば Sheet1）を含めて指定する場合には次のようになる。

　　Range("Sheet1!B2:D5")

　　Range(Worksheets("Sheet1"). Cells(2, 2), Worksheets("Sheet1"). Cells(5, 4))

---

## 3　ボタンを作成して、マクロを登録

Sheet3 を表示し、印刷 ボタンを作成し、マクロ名「例題 11」を登録する。

## 4　マクロの確認

Sheet3 の 印刷 ボタンをクリックすると、各支店の「支店別売上票」が印刷プレ
ビュー表示される。

# 3 範囲指定した個別データの印刷

例題 12

　長くて複雑なマクロを作成しようとすると、プログラミングミスやその発見も容易なことではなくなる。そこで、ここではサブプロシージャを作成し、マクロを小さな処理単位に部品化して組み立ててみよう。これにより、マクロが読みやすく、またデバッグしやすくなるなどのメリットが生まれる。また、サブプロシージャはさまざまなマクロで共通に利用することができる。

## 今回作成するマクロ

　Sheet4 の支店別売上票にあるスピンボタンで印刷開始番号と終了番号を指定して [印刷開始] ボタンを押すと Sheet1 の売上一覧表の「支店番号、支店名、各月の売上高、合計、平均」の値とグラフが表示された支店別売上票が指定した範囲の番号の件数分印刷される。　　　　　　**（ファイル名「例題 12−売上一覧表 3」）**

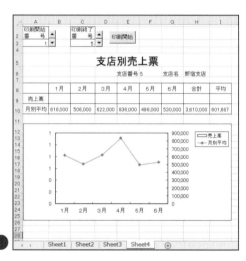

Sheet1

Sheet4

## 1　ワークシートにデータを入力

　①ファイル名「例題 11−売上一覧表 2」を開く。

　② Sheet4 に次のような支店別売上票の枠を作成する。

| | A | B | C | D | E | F | G | H | I |
|---|---|---|---|---|---|---|---|---|---|
| 1 | 印刷開始 | | 印刷終了 | | | | | | |
| 2 | | | | | | | | | |
| 3 | | | | | | | | | |
| 4 | | | | | | | | | |
| 5 | | | | 支店別売上票 | | | | | |
| 6 | | | | 支店番号 | | | 支店名 | | |
| 7 | | | | | | | | | |
| 8 | | 1月 | 2月 | 3月 | 4月 | 5月 | 6月 | 合計 | 平均 |
| 9 | 売上高 | | | | | | | | |
| 10 | 月別平均 | | | | | | | | |

　③ Sheet4 に次のような参照式を入力する。

B10 に「=Sheet1!C8」と入力し、Sheet1 の 1 月の月別平均を参照させる。
同様にして C10 〜 I10 にも各月の月別平均を参照させる式を入力する。

④ A8：G10 を範囲としてグラフを作成する。

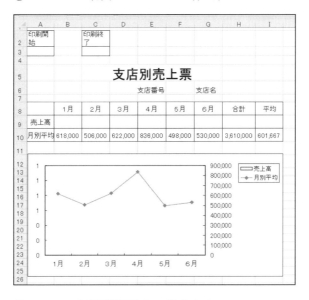

⑤ A5：I27 を印刷範囲として指定する。

⑥ファイル名「例題 12-売上一覧表 3」で保存する。

## 2 マクロを記述

① VBE を起動させる

②**[挿入（I)]-[標準モジュール（M)]** で標準モジュールシートを追加し、マクロ名「例題 12」として次のようにマクロを記述する。

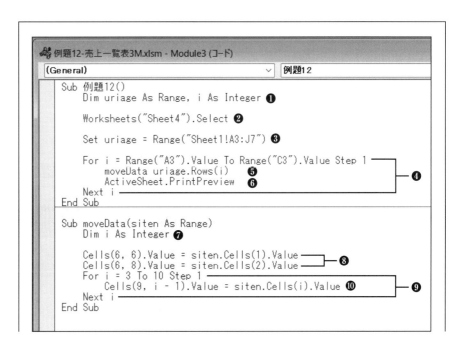

<メインプロシージャ>

❶変数 uriage をオブジェクト型、変数 i を整数型として宣言する

❷ Sheet4 を選択しアクティブにする

❸セル範囲（A3 から J7）を変数 uriage として扱えるようにする

❹ For ～ Next ではさまれた処理を A3 に入力された番号から C3 に入力された番号までの回数、繰り返す

❺ moveData というサブプロシージャに支店データを 1 行分「uriage. Rows(i)」を渡して 1 件分の転記処理をする

❻アクティブシートの印刷プレビュー表示をする


<サブプロシージャ>

❼サブプロシージャ内で使用する変数 i を整数型として宣言する

❽支店番号と支店名を転記する

❾ For ～ Next ではさまれた処理を 8 回（1 月の売上高から平均までの回数分）繰り返す

❿月の売上高から平均までのデータを転記する

マクロのデバッグについては、付録 2 を参照すること。

---

### マクロ作成のポイント

## 1. サブプロシージャとその呼び出し

サブプロシージャとは 1 つの処理をまとめたプログラムで、メインプロシージャから呼び出されて実行されるものである。メインプロシージャからサブプロシージャに渡すデータを引数と呼び、サブプロシージャ名の後ろに記述する。この例では次のような流れになっている。

**ア.** メインプロシージャ内にサブプロシージャ名を記述すると、サブプロシージャが呼び出される。

**イ.** サブプロシージャ内の処理が行われる。

**ウ.** メインプロシージャ内のサブプロシージャ名を記述した次のステートメントにもどる。

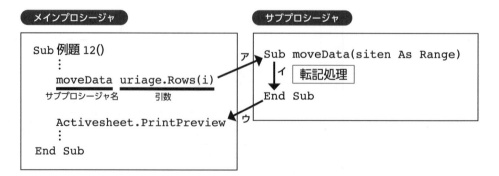

## 2. サブプロシージャの記述と引数

サブプロシージャ「moveData」はメインプロシージャ「例題 12」から引数として変数 i で指定された支店 1 件分のデータを受け取り、必要な転記処理を行う。

サブプロシージャでメインプロシージャからデータを受け取る場合にはプロシージャ名の後ろの（ ）内にデータ名とデータ型を指定する。また、データ型は原則としてメインプロシージャから渡されるデータ型と一致しなければならないが、データ名は一致させる必要はない。

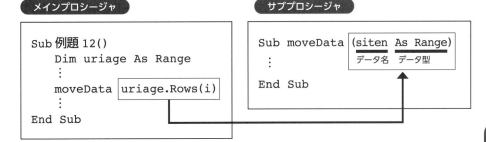

例題では uriage.Rows(i) がメインプロシージャからサブプロシージャに渡され、サブプロシージャ内では siten という名前で扱われる。

また、各プロシージャ内で使用する変数は各プロシージャ内で宣言する。各プロシージャ内で宣言された変数は、そのプロシージャ内でのみ有効となる。

## 3. 規則性のあるセル位置への転記は For...Next ステートメントを利用

サブプロシージャ「moveData」内で、siten データ（1 件分）のうち 1 月の売上高「siten.Cells(3)」から平均「siten.Cells(10)」までの転記元のデータを変数「i」を利用して表すと転記先のセルの列位置は「i-1」で表すことができる。

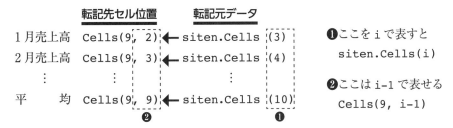

そこで、For...Next ステートメントを利用して下記のように記述する。

```
For i = 3 To 10 Step 1
    Cells(9, i - 1).Value = siten.Cells(i) .Value
Next i
```

**練習 21**

例題の siten の 1 月の売上高から 6 月の売上高までをシートの A1 から A6 に転記する処理を For...Next ステートメントを利用して記述してみよう。ただし、カウンタ変数は i とし、i は 3 から始まるものとする。

**参考　転記先のセルの指定**

　Excel のブックを開くとその中には複数のシートが用意され、各シートにはそれぞれ同じセル番地が存在する。したがって、Sheet1 の A1 のセルを指定する場合には本来次のようにシート名を指定してセル番地を指定する。

　　　　Worksheets("Sheet1").Cells(1, 1)
　　　　　　　シート名　　　　　セル番地

　ここでシート名の指定を省略した場合は現在アクティブになっているシートが処理対象として扱われる。例題の場合は「Worksheets("Sheet4").Select」というステートメントで Sheet4 をアクティブにしているので、シート名を省略しても転記先のシートは Sheet4 になる。

　なお、転記元のデータは「Set uriage = Range("Sheet1!A3:J7")」によりオブジェクト変数 uriage にシート名も含まれている。

## 3　スピンボタンを作成

　　① Sheet4 を表示する。[**開発**] タブ－＜コントロール＞－[**挿入**]－[**フォームコント**
　　　　**ロール**] の [**スピンボタン**] をクリックし、ワークシート上のスピンボタンを作
　　　　成する位置でドラッグする。

「スピンボタン」を
クリックする

ワークシート上のスピン
ボタンを作成する位置で
ドラッグする

　　② スピンボタンが選択されている状態で右クリックをして [**コントロールの書式設**
　　　　**定 (F)**] をクリックする。

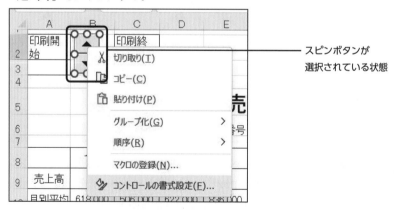

スピンボタンが
選択されている状態

③コントロールの書式設定を下記のように行い OK をクリックする。

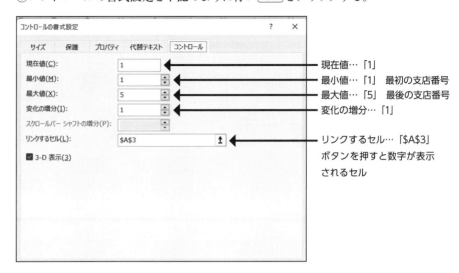

現在値…「1」

最小値…「1」　最初の支店番号

最大値…「5」　最後の支店番号

変化の増分…「1」

リンクするセル…「$A$3」
ボタンを押すと数字が表示
されるセル

④同様の手順でもう1つのスピンボタンも配置し、コントロールの書式設定を行う。
ただし、リンクするセルの設定は「$C$3」とする。

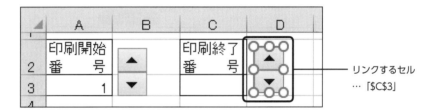

リンクするセル
…「$C$3」

. . . . . . . . . . . . . . . . . . . . . . . . . . . . . . . . . . . . . . . . . . . . . . . . . . . . . . . . . . . . . . . . . . . . . . . . . . . . . . . . . . . . . . .

**練習 22**　　　スピンボタンを押して番号が1～5の範囲で変化するか確認してみよう。

## 4　ボタンを作成して、マクロを登録

印刷開始 ボタンを作成し、マクロ名「例題 12」を登録する。

## 5　マクロの確認

Sheet4 のスピンボタンを押して印刷開始支店番号と印刷終了支店番号を指定し
て 印刷開始 ボタンをクリックすると、指定した番号の「支店別売上票」が印刷プレ
ビュー表示される。

# 4 条件に合った個別データの印刷

**例題 13**　　一覧表のデータの中で条件に合ったものを取り出して処理をするマクロを作成してみよう。売り上げ代金の未納商店に対してのみ請求書を作成・発行したり、一定金額以上の取引で、割引金額を計算する場合などに便利である。また、ここではマクロ内でのワークシート関数の使用方法も学習する。これにより効率の良いマクロを作成することができる。

## 今回作成するマクロ

　　Sheet5 の月間目標売上高を入力後に 印刷 ボタンを押すと月間目標売上高に達していない売上高のある支店の頑張れ支店売上票が印刷される。また、頑張れ支店売上票の各月の売上高は月間目標売上高に達していない月の売上高とその不足金額が表示される。　　　　　　　**（ファイル名「例題 13−売上一覧表 4」）**

## 1　ワークシートにデータを入力

①ファイル名「例題 12−売上一覧表 3」を開く。

②Sheet5 に次のような頑張れ支店売上票の枠を作成する。

③ファイル名「例題 13−売上一覧表 4」で保存する。

## 2 マクロを記述

① VBE を起動させる。

②**[挿入 (I)]－[標準モジュール (M)]** で標準モジュールシートを追加し、マクロ名「例題13」として次のようにマクロを記述する。

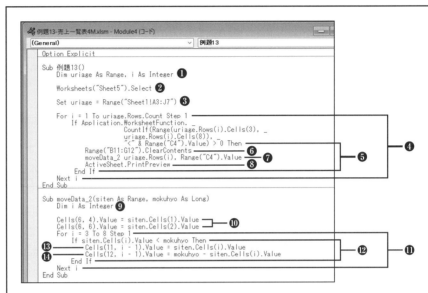

<メインプロシージャ>

❶ 変数 uriage をオブジェクト型、変数 i を整数型として宣言する

❷ Sheet5 を選択しアクティブにする

❸ セル範囲を変数 uriage として扱えるようにする

❹ For ～ Next ではさまれた処理を支店件数分繰り返す

❺ ワークシート関数（COUNTIF）を利用して一件分の支店データから月間目標売上高（C4セル）に達していない月数をカウントし、1つ以上あれば❻❼❽の処理を行う

❻ 売上高と不足額を記入するセル（B11：G12）をクリアする

❼ moveData_2 というサブプロシージャに支店データを1行分（「uriage.Rows(i)」と月間目標売上高「Range("C4")」）を渡して必要な転記処理をする

❽ アクティブシートの印刷プレビュー表示をする

<サブプロシージャ>

❾ サブプロシージャで使用する変数 i を整数型として宣言する

❿ 支店番号と支店名を転記する

⓫ For ～ Next ではさまれた処理を6回（1月の売上高から6月の売上高の回数分）繰り返す

⓬ 各月の売上高が月間目標売上高より小さい場合には⓭⓮の処理を行う

⓭ 売上高を転記する

⓮ 不足額を計算し転記する

マクロ作成のポイント

## 1. ワークシート関数を使うには

```
Application.WorksheetFunction. ワークシート関数
```

のように記述する。

例えば、アクティブシートの「A1:B5」の範囲内で一番大きな数を求めるときはワークシート関数「MAX」を使用して下記のようになる。

```
Application.WorksheetFunction.MAX(Range(" A1:B5"))
```

ここで MAX 関数に使われる引数（セル範囲）は Range プロパティを使って記述する。

---

**練習 23**

アクティブシートの「A1：B5」の範囲内での合計をマクロ内で「SUM」関数を使用して求めるにはどのように記述すればよいか考えてみよう。また、「AVERAGE」関数を使用して平均を求める場合はどうか考えてみよう。

COUNTIF
**（範囲，検索条件）**
指定された範囲に含まれるセルのうち、検索条件に一致するセルの個数を返す。

例題ではワークシート関数「COUNTIF」を使用して各支店の1月から6月の売上高の中で月間目標売上高に達していない月数を数えさせている。

COUNTIF に使われる範囲の指定は1月の売上高のセル「Cells(3)」から6月の売上高のセル「Cells(8)」を Range プロパティを使って

```
Range(uriage.Rows(i). Cells(3), uriage.Rows(i). Cells(8))
```

と記述する。

<u>uriage.Rows(1)</u>

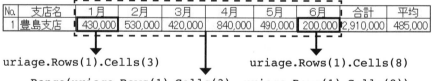

| No. | 支店名 | 1月 | 2月 | 3月 | 4月 | 5月 | 6月 | 合計 | 平均 |
|---|---|---|---|---|---|---|---|---|---|
| 1 | 豊島支店 | 430,000 | 530,000 | 420,000 | 840,000 | 490,000 | 200,000 | 2,910,000 | 485,000 |

```
uriage.Rows(1).Cells(3)          uriage.Rows(1).Cells(8)
    Range(uriage.Rows(1).Cells(3), uriage.Rows(1).Cells(8))
```
1月から6月までのセル範囲

また、COUNTIF に使われる検索条件の指定は、文字列連結演算子「&」を使って

```
"<" & Range("C4").Value
```

と記述する。これによりアクティブシートの「C4」に入力された値、例えば、「500000」が「&」の前の文字列と連結され「"<500000"」という内容になる。

COUNTIF の 検 索 条件は、数値、式、または文字列で指定。式および文字列を指定する場合は、半角のダブルコーテーション（"）で囲む必要がある。

これで、変数 i が「1」であれば、豊島支店の1月から6月までの売上高のうちアクティブシート「C4」のセルに入力された月間目標売上高に達していない月数がカウントされる。また、変数 i が「2」になれば同様にして練馬支店の月数がカウントされる。

```
Application.WorksheetFunction.CountIf(Range(uriage.Rows(i).
Cells(3), uriage.Rows(i).Cells(8)), "<" & Range("C4") .Value)
```

### 複数行にわたるステートメントの記述

　1つのステートメント（命令文）の文字が長くなってしまった場合、画面に入りきれず、プログラムがとても見づらくなってしまう。そこで半角スペースとアンダースコアを使うと1つのステートメントを複数の行に分割して入力できる。

　上のステートメントを半角スペースとアンダースコアを使って分割して記述すると次のようになる。

```
Application.WorksheetFunction. _
    CountIf(Range(uriage.Rows(i).Cells(3), _
        uriage.Rows(i).Cells(8)), "<" & Range("C4").Value)
```

## 2. `For...Next` ステートメントの最終値である支店件数の計算

　例題の `For...Next` ステートメントの最終値の「5」は支店件数であり、オブジェクト変数 uriage の行数と同じである。その行数は Rows プロパティと Count プロパティを使って取得することができる。

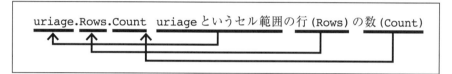

## 3. 条件判断を行う `If...End` ステートメント

　例題では、メインプロシージャ内で月間目標売上高に達していない月数が1つでもあれば、その支店のデータが処理対象となり、`If...End` ステートメントではさまれた処理が行われる。

```
If 条件:( 月間目標売上高に達していない月数 ) > 0 Then
    Range("B11:G12").ClearContents
    moveData uriage.Rows(i), Range("C4").Value
    ActiveSheet.PrintPreview
End If
```

　また、サブプロシージャ内では月間目標売上高に達していない月の売上高が処理対象となり `If...End` ステートメントではさまれた処理が行われる。

```
If 条件:( ○月の売上高 )<( 月間目標売上高 ) Then
    Cells(11, i-1).Value = siten.Cells(i).Value
    Cells(12, i-1).Value = mokuhyo - siten.Cells(i).Value
End If
```

### 4. セル範囲をクリアするには ClearContents メソッドを使用

`Range("B11:G12").ClearContents`

ClearContents メソッドは指定した範囲内の各セルの数式あるいは文字だけをクリアし、各セルの書式設定はそのまま残る。

## 3 ボタンを作成して、マクロを登録

Sheet5 を表示し、印刷ボタンを作成し、マクロ名「例題 13」を登録する。

## 4 マクロの確認

Sheet5 に月間目標売上高を入力後に印刷ボタンを押すと、月間目標売上高に達していない売上高のある支店の頑張れ支店売上票が印刷プレビュー表示される。

---

参考 **データ件数の変化する一覧表のデータをオブジェクト変数にセットする**

データ件数（行数）の変化する一覧表のデータをオブジェクト変数にセットするにはマクロを実行するたびにデータ範囲を求める必要がある。

通常、データ範囲の始まるセル番地（左上）は決まっているので、データ範囲の終了するセル番地（右下）を求めればよい。

次の Sheet1（シート名）にある会員名簿のデータをオブジェクト変数 jyusyo にセットするには

`Set jyusyo = Range("Sheet1!A3:D 列の最終データの入力された行のセル番地")`

となる。データ範囲の始まるセルは「A3」で、終了セルは「D 列」の最終データの入力された行番号になる。

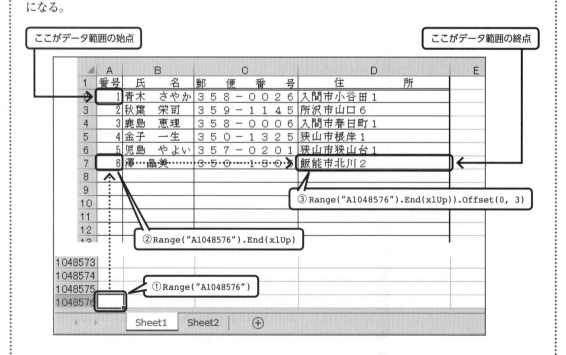

最終データの入力されている行の計算はワークシートの最終行（1048576行）からEndプロパティを使って

```
Range("Sheet1!A1048576").End(xlUp)
```

と記述することによりA8のセルを指定したことになる。つぎにOffsetプロパティを使って右に3つ離れたセルを指定することによりD8のセルが指定されたことになる。

```
Range("Sheet1!A1048576").End(xlUp). Offset(0, 3)
```

さらに、Addressプロパティを使ってセル番地を文字列で表示し、「&」で文字列連結をしてデータ範囲を表す。

```
"Sheet1!A3:" & Range("Sheet1!A1048576").End(xlUp). Offset(0, 3). Address
```

　従って、Setステートメントは次のようになる。

```
Set jyusyo = Range("Sheet1!A3:" & Range("Sheet1!A1048576").End(xlUp).Offset(0, 3). Address)
```

また、Worksheets("Sheet1").Rows.Count を用いれば、シートの行数を求めることができるので、最終行を気にすることなくマクロ記述することができる。Worksheets("Sheet1").Rows. Count と Cells を用いた Set ステートメントは次のようになる。なお、Worksheets("Sheet1") が3箇所に記述（↑の場所）されるので、With ステートメントを用いて記述を簡潔にした。

```
With Worksheets("Sheet1")
  Set jyusyo = Range( .Cells(3, "A"), .Cells( .Rows.Count, "A").End(xlUp).Offset(0, 3))
                     ↑                ↑            ↑
End With
```

最終行のスタートはA列でなくてもよいが、必ずデータの入る列で行う。

（ファイル名「実習問題05－体力テスト」）

　　　Sheet2 の体力テスト個人判定票にあるスピンボタンで印刷開始番号と終了番号を指定して 印刷開始 ボタンを押すと、Sheet1 の個人別体力テスト項目の T スコアの「番号、氏名、各テスト項目」の値とグラフが表示された体力テスト個人判定票を、指定した範囲の件数分印刷するマクロを作成しなさい。

**Sheet1**

| | A | B | C | D | E | F | G | H | I | J |
|---|---|---|---|---|---|---|---|---|---|---|
| 1 | 個人別体力テスト項目のTスコア | | | | | | | | | |
| 2 | 番号 | 氏名 | 握力 | 上体起こし | 長座対前屈 | 反復横飛び | 持久走 | 50メートル走 | 立ち幅跳び | ボール投げ |
| 3 | 1 | 北島　一朗 | 49.7 | 61.5 | 55.0 | 61.3 | 66.6 | 57.9 | 55.2 | 45.4 |
| 4 | 2 | 鈴木　洋介 | 52.3 | 46.7 | 53.4 | 67.5 | 49.9 | 52.4 | 55.1 | 66.0 |
| 5 | 3 | 関口　祐介 | 45.9 | 45.4 | 52.7 | 60.3 | 54.7 | 47.0 | 59.7 | 67.3 |
| 6 | 4 | 中村　圭佑 | 56.6 | 59.4 | 46.7 | 46.2 | 47.0 | 48.4 | 43.6 | 47.6 |
| 7 | 5 | 平井　真吾 | 60.7 | 52.6 | 67.0 | 47.8 | 49.3 | 63.1 | 49.1 | 48.8 |
| 8 | 6 | 福井　幸二 | 54.3 | 50.3 | 65.3 | 53.1 | 59.0 | 58.4 | 51.6 | 41.3 |
| 9 | 7 | 森　一浩 | 57.4 | 69.4 | 46.3 | 54.3 | 69.6 | 47.1 | 53.8 | 63.5 |
| 10 | 8 | 矢島　昌幸 | 61.2 | 62.2 | 66.3 | 66.4 | 59.2 | 57.3 | 43.5 | 65.1 |
| 11 | 9 | 和田　哲也 | 48.8 | 63.0 | 50.6 | 41.0 | 65.9 | 58.5 | 58.9 | 60.1 |
| 12 | 10 | 渡辺　宏 | 51.9 | 50.4 | 45.9 | 44.7 | 67.7 | 45.5 | 55.0 | 58.5 |
| 13 | | | | | | | | | | |

Sheet1　Sheet2　⊕

**Sheet2**

| | A | B | C | D | E | F | G | H | I |
|---|---|---|---|---|---|---|---|---|---|
| 1 | | 印刷開始No. | ▲ | 印刷終了No. | ▲ | 印刷開始 | | | |
| 2 | | 1 | ▼ | 10 | ▼ | | | | |
| 3 | | | | | | | | | |
| 4 | 体力テスト個人判定票 | | | | | 体力プロフィール | | | |

| テスト項目 | 個人Tスコア | 県平均Tスコア |
|---|---|---|
| 握　力 | 51.9 | 48.2 |
| 上体起こし | 50.4 | 50.2 |
| 長座対前屈 | 45.9 | 49.8 |
| 反復横飛び | 44.7 | 52.0 |
| 持　久　走 | 67.7 | 51.3 |
| 50メートル走 | 45.5 | 50.4 |
| 立ち幅跳び | 55.0 | 48.7 |
| ボール投げ | 58.5 | 50.1 |

（5行目：10　渡辺　宏）

Sheet1　Sheet2　⊕

（ファイル名「実習問題 06－請求書」）

Sheet2 にある請求書の請求日付を入力後、｜請求書発行｜ボタンを押すと、Sheet1 の商店別売掛金台帳から請求日付を経過しているが入金されていない（受領日付が未入力）商店に対して、請求書を印刷するマクロを作成しなさい。

Sheet1

| | A | B | C | D | E |
|---|---|---|---|---|---|
| 1 | 商店別売掛金台帳 | | | | |
| 2 | No. | 商店名 | 請求金額 | 回収期限 | 受領日 |
| 3 | 1 | A商店 | ¥1,250,000 | 2022/08/31 | |
| 4 | 2 | B商店 | ¥2,560,000 | 2022/07/31 | 2022/07/31 |
| 5 | 3 | C商店 | ¥589,000 | 2022/09/30 | |
| 6 | 4 | D商店 | ¥3,456,000 | 2022/08/31 | |
| 7 | 5 | E商店 | ¥987,000 | 2022/10/31 | |
| 8 | 6 | F商店 | ¥2,190,000 | 2022/07/31 | |
| 9 | 7 | G商店 | ¥4,530,000 | 2022/08/31 | 2022/08/31 |
| 10 | 8 | H商店 | ¥3,800,000 | 2022/10/31 | |
| 11 | 9 | I商店 | ¥2,400,000 | 2022/09/30 | 2022/09/30 |
| 12 | 10 | J商店 | ¥1,345,000 | 2022/08/31 | |
| 13 | | | | | |

Sheet1　Sheet2　（＋）

Sheet2

| | A | B | C | D | E |
|---|---|---|---|---|---|
| 1 | | | | | |
| 2 | | | 請求書 | 請求書発行 | |
| 3 | | | | | |
| 4 | | | 請求日付 | 2022/09/10 | |
| 5 | | J商店 | 御中 | | |
| 6 | | | | | |
| 7 | 下記の金額につきまして未だ入金がございません。 | | | | |
| 8 | お調べの上、今月中にお支払い下さい。 | | | | |
| 9 | | | 記 | | |
| 10 | ご請求金額 | | ¥1,345,000 | | |
| 11 | 入金日 | | 2022/08/31 | | |
| 12 | | | | 以 上 | |
| 13 | | | | | |

Sheet1　Sheet2　（＋）

<ヒント>

1. 印刷する商店の判断は請求日付より早いもので受領日欄が空欄なもの。

```
If  条件：（請求日付）＞（回収期限）
         And   受領日が空欄   Then
              処 理
End If
```

2. セルの内容が空白かどうかは IsEmpty 関数を利用する。

　　IsEmpty（セル）

　　空白ならば「True」を返し、空白でなければ「False」を返す。

| 実習問題 07 | ワークシートの一覧表のデータの中で条件に合ったものを印刷する |
| --- | --- |

（ファイル名「実習問題 07 －未実施項目票」）

Sheet2 の体力テスト未実施項目票にある 印刷開始 ボタンを押すと、Sheet1 の個人別体力テスト項目の T スコアの中から、体力テスト項目を実施していない（空欄のある）生徒の「番号、氏名、実施していない項目名」を、未実施人数分印刷するマクロを作成しなさい。

**Sheet1**

| | A | B | C | D | E | F | G | H | I | J | K |
| --- | --- | --- | --- | --- | --- | --- | --- | --- | --- | --- | --- |
| 1 | 個人別体力テスト項目のTスコア | | | | | | | | | | |
| 2 | 番号 | 氏名 | 握力 | 上体起こし | 長座体前屈 | 反復横飛び | 持久走 | 50メートル走 | 立ち幅跳び | ボール投げ | |
| 3 | 1 | 北島 一朗 | 49.7 | 61.5 | 55.0 | 61.3 | 66.6 | 57.9 | 55.2 | 45.4 | 0 |
| 4 | 2 | 鈴木 洋介 | | | | | | | | | 8 |
| 5 | 3 | 関口 祐介 | 45.9 | 45.4 | 52.7 | 60.3 | 54.7 | 47.0 | 59.7 | 67.3 | 0 |
| 6 | 4 | 中村 圭佑 | 56.6 | 59.4 | 46.7 | 46.2 | | | 43.6 | 47.6 | 2 |
| 7 | 5 | 平井 真吾 | 60.7 | 52.6 | 67.0 | 47.8 | 49.3 | 63.1 | 49.1 | 48.8 | 0 |
| 8 | 6 | 福井 幸二 | 54.3 | 50.3 | | 53.1 | 59.0 | 58.4 | 51.6 | 41.3 | 1 |
| 9 | 7 | 森 一浩 | 57.4 | 69.4 | 46.3 | 54.3 | 69.6 | 47.1 | 53.8 | 63.5 | 0 |
| 10 | 8 | 矢島 昌幸 | 61.2 | 62.2 | 66.3 | | | 57.3 | 43.5 | | 3 |
| 11 | 9 | 和田 哲也 | | 63.0 | 50.6 | 41.0 | 65.9 | 58.5 | 58.9 | | 2 |
| 12 | 10 | 渡辺 宏 | 51.9 | 50.4 | 45.9 | 44.7 | 67.7 | 45.5 | 55.0 | 58.5 | 0 |
| 13 | | | | | | | | | | | |

Sheet1 / Sheet2

**Sheet2**

体力テスト未受験項目票　　印刷

　　9 和田 哲也

あなたは下記のテスト項目が実施されていません

| | 未受験テスト項目 |
| --- | --- |
| 1 | 握力 |
| 2 | ボール投げ |

Sheet1 / Sheet2

<ヒント>

1. 空欄の数はワークシート関数 COUNTBLANK を利用する。

　　If 　条件：( 空欄の数 ) > 0　 Then
　　　　　　　処　理
　　End If

2. 未実施項目名を表示するために項目名の行はオブジェクト変数にセットしておくとよい。

　　Set 　オブジェクト変数　 = Range("Sheet1!A2:J2")

ワークシートの一覧表からタックシールを印刷する

（ファイル名「実習問題08－タック」）

　Sheet1 の住所録にある ［タック印刷］ ボタンを押すと、Sheet1 の住所録から Sheet2 に作成したタックシール（6 行 2 列：12 件分）のフォーマットを使って、登録件数分印刷するマクロを作成しなさい。

**Sheet1**

| ▲ | A | B | C | D | E |
|---|---|---|---|---|---|
| 1 | 番号 | 氏　　名 | 郵　便　番　号 | 住　　　　　所 | タック印刷 |
| 2 | 1 | 青木　さやか | ３５８－００２６ | 入間市小谷田1 | |
| 3 | 2 | 秋葉　栄司 | ３５９－１１４５ | 所沢市山口6 | |
| 4 | 3 | 安藤　正樹 | ３５０－００１６ | 川越市木野目1 | |
| 5 | 4 | 市村　公一 | ３５０－１３２１ | 狭山市上広瀬4 | |
| 6 | 5 | 今田　太一 | ３５７－００２３ | 飯能市岩沢1 | |
| 7 | 6 | 大村　千春 | ３５７－００４４ | 飯能市川寺4 | |
| 8 | 7 | 鹿島　恵理 | ３５８－０００６ | 入間市春日町1 | |
| 9 | 8 | 金子　一生 | ３５０－１３２５ | 狭山市根岸1 | |
| 10 | 9 | 川名　美紀 | ３５０－１３０４ | 狭山市狭山台1 | |
| 11 | 10 | 児島　やよい | ３５７－０２０１ | 飯能市北川2 | |
| 12 | 11 | 後藤　綾子 | ３６８－００７２ | 川越市上戸3 | |
| 13 | 12 | 境田　敬亮 | ３５７－００２１ | 飯能市双柳1 | |
| 14 | 13 | 坂口　亮祐 | ３５０－１３３５ | 狭山市柏原7 | |
| 15 | 14 | 佐藤　美絵 | ３５０－１３１７ | 狭山市水野3 | |
| 16 | 15 | 澤　晶美 | ３５０－１３０５ | 狭山市入間川3 | |
| 17 | 16 | 鈴木　陽子 | ３５８－００１３ | 入間市上藤沢4 | |
| 18 | 17 | 関　佑介 | ３５０－１３２１ | 狭山市上広瀬5 | |
| 19 | 18 | 関口　絵美 | ３５０－１３０８ | 狭山市中央4 | |
| 20 | 19 | 高橋　玉紀 | ３５８－００１３ | 入間市上藤沢4 | |
| 21 | 20 | 宮崎　哲平 | ３５８－００１１ | 入間市下藤沢1 | |
| 22 | | | | | |

Sheet1 Sheet2 ⊕

**印刷プレビュー**

**参考**
A 列のサイズ
91.3（78 ピクセル）

B 列のサイズ
37.13(302 ピクセル)

1 行目～
3 行目のサイズ
33.00（44 ピクセル）

4 行目のサイズ
32.25（43 ピクセル）

用紙サイズ　A4 縦

**＜ヒント＞**

1. 12 件分（タックシール 1 枚分に表示される件数）をカウントする変数が必要になる。

2. 印刷するタイミングはタックシールに 12 件分データが転記されたときまたは最後のデータが転記されたときとなる。

```
If  条件：12 件転記 Or 最後のデータ転記  Then
        印刷処理など
End If
```

# さまざまなコントロール

## 1 イベントとコントロールとは

　「開発」タブの「コントロール」リボンの「挿入」から選択できる「フォーム コントロール」で作成されるボタンにマクロを登録すると、マクロはボタンをクリックしたときに実行されるようになる。この「ボタンをクリックしたとき」というタイミングのことをイベントという。イベントによってマクロが実行される考え方をイベント駆動型の考え方というが、VBAがそのもとであるイベント駆動型プログラミング言語のVisual Basicの考え方を受け継いでいるために、このようなマクロの実行方法がある。

　コントロールの各部品がどのようなイベントを持っているかは、「マクロの登録」ダイアログボックスで最初に表示される内容で確認できる。

　「フォーム コントロール」で作成したボタンなどでは、クリック（Click）というイベントしか設定できないが、「ActiveX コントロール」から作成するものは、「ダブルクリック」「マウスを動かしたとき」など、さまざまなイベントでマクロを実行することができ、より利便性の高い操作環境を作ることができる。また、コントロールはプロパティを変更することによっていろいろな設定を簡単に行うことができる。

　Excelでは、さまざまなコントロールを使うことができるが、ここでは、おもなコントロールについて学習する。

　ここでのコントロールには、Excelのシート上で使用するActiveX コントロールとVBEのユーザーフォーム上で使用するコントロールがあり、表示の方法がそれぞれ異なる。

### 1 シート上で使用する「ActiveX コントロール」の表示

[表示方法]
Excelのメニューから [開発] タブー＜コントロール＞ー[挿入] を選択する。

コントロールの名称

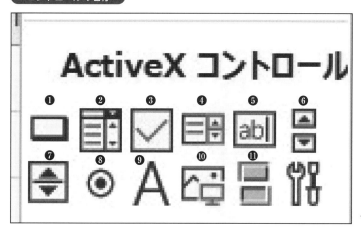

**ActiveX コントロール**

❶ ❷ ❸ ❹ ❺ ❻

❼ ❽ ❾ ❿ ⓫

本書では、❿イメージ
に関する記述は省略し
ている。

❶コマンドボタン　　❷コンボボックス　　❸チェックボックス
❹リストボックス　　❺テキストボックス　　❻スクロールバー
❼スピンボタン　　　❽オプションボタン　　❾ラベル
❿イメージ　　　　　⓫トグルボタン

## 2　ユーザーフォームで使用する「ツールボックス」の表示

ユーザーフォームとは、Windows で利用されるダイアログボックスなどのように、使用する入出力をまとめた画面のことである。ユーザーフォームで使用する「ツールボックス」は、ユーザーフォームのデザイン画面を表示すると現れる。

**[表示方法]**
① VBE のメニューバーから [**挿入（I）**]-[**ユーザー フォーム（U）**] を選択する。

②ユーザーフォームが表示され、同時にユーザーフォームで使用するコントロール
のためのツールボックスも表示される。

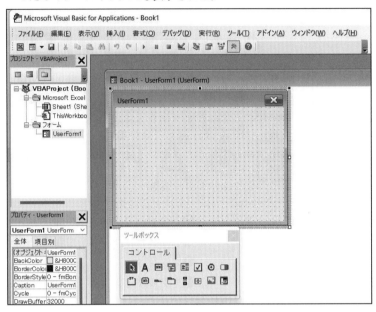

※ツールボックスが表示されないときは、VBE のメニューバーから **[表示（V)]**－
**[ツールボックス（X)]** を選択する。

参考 　**コントロールのコードの場所**

　シート上やユーザーフォーム上のコントロールで作られるコードは、標準モジュールとは別の場所
に格納される。

**シート上のコントロール**

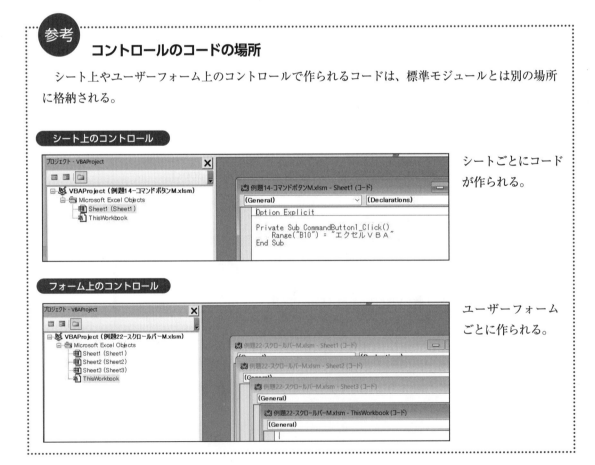

シートごとにコード
が作られる。

**フォーム上のコントロール**

ユーザーフォーム
ごとに作られる。

# 2 コマンドボタン

例題 14

マクロを実行させるときに使用するボタン。

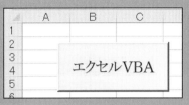

### 主なプロパティ

| プロパティ | 内容 |
|---|---|
| (オブジェクト名) | VBA コード上で使用する名前 |
| BackColor | 背景（ボタン）の色 |
| Caption | 表示上の文字列 |
| Enabled | ボタンの有効・無効 |
| Font | 表示文字の種類や大きさなど |
| ForeColor | 表示文字の色 |

### 主なイベント

| イベント名 | 内容 |
|---|---|
| _Click | クリックしたとき |

## 今回作成するマクロ

下図のようなコマンドボタンをシート上に作成し、クリックすると B10 に「エクセル VBA」という文字を表示させるコードを記述してみよう。

**（ファイル名「例題 14－コマンドボタン」）**

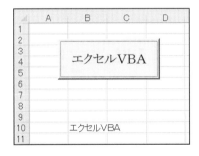

## 1 コントロールの作成

①新しいブックを用意する。

② ActiveX コントロールからコマンドボタン▭を選択し、コマンドボタンの左上の位置を決めてそこにマウスポインタを置き、右下の方向にドラッグする。

## 2　プロパティの変更

右クリックできないときは、✎をクリックしてデザインモードにする。

①コマンドボタンにマウスポインタを重ねて右クリックし、表示されたショートカットメニューから［プロパティ(I)］を選択する。

②プロパティウィンドウが表示されるので、コマンドボタンのプロパティを下のように変更する。

**主なプロパティ**

| プロパティ | 値 |
|---|---|
| BackColor | 黄色などの明るい色 |
| Caption | エクセル VBA |
| Font | フォント：游明朝 |
| | サイズ：16 |

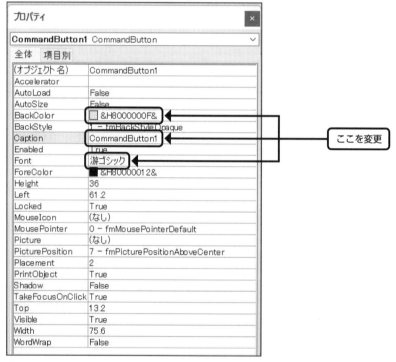

③「BackColor」の右の欄をクリックして表示される▼をクリックすると次のような設定ウィンドウが表示されるので、「パレット」タブをクリックする。

④黄色などの明るい色を選んでクリックする。設定ウィンドウが閉じる。

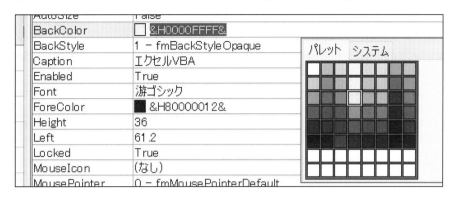

⑤「Caption」の右側の「CommandButton1」をクリックして、[Delete]などで文字を消去し、「エクセル VBA」と入力する。

| BackColor | ☐ &H0000FFFF& |
|---|---|
| BackStyle | 1 − fmBackStyleOpaque |
| Caption | エクセルVBA |
| Enabled | True |
| Font | 游ゴシック |
| ForeColor | ■ &H80000012& |

⑥「Font」の欄をクリックすると［…］が表示される。

| Caption | CommandButton2 | |
|---|---|---|
| Enabled | True | |
| Font | MS Pゴシック | … |
| ForeColor | ■ &H80000012& | |
| Height | 52.8 | |

⑦［…］をクリックすると、次のような「フォント」ダイアログボックスが表示されるので、「フォント名（F)」を「游明朝」に、「サイズ（S)」を「16」に変更し、[OK]をクリックする。

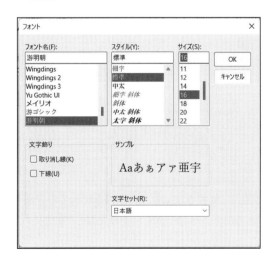

# 3 コードの記述

①コマンドボタンをダブルクリックすると VBE が起動するので、次のようにコマンドボタンをクリックしたときに実行されるコードの記述を行う。

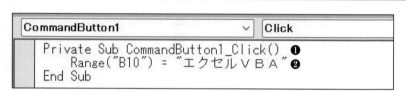

```
CommandButton1                              ∨   Click
    Private Sub CommandButton1_Click() ❶
        Range("B10") = "エクセルＶＢＡ" ❷
    End Sub
```

❶ CommandButton1 をクリックしたときに実行されるプロシージャ

❷ B10 を「エクセル VBA」とする。

   Range は、「″」（ダブルコーテーション）で囲まれたセル番地または、その範囲を指定する命令。指定したセル番地に文字列を入れるには、「=」のあとに「″」で文字列を囲んで記述する。

②⬛をクリックするか、タスクバーのエクセルファイルをクリックしてシートにもどる。⬛をクリックしてデザインモードを解除して、ボタンをクリックしてマクロ実行を確認する。

**<注意>** デザインモードを解除しないとマクロは実行できない。

........................................................................

**練習 24**

   下図のようなコマンドボタンをシート上に追加作成し、クリックすると例題 14 で表示した文字を消去させるようにしてみよう。

| | |
|---|---|
| 9 | |
| 10 | エクセルVBA |
| 11 | |
| 12 | |
| 13 | 文字の削除 |
| 14 | |
| 15 | |
| 16 | |

   作成したコマンドボタンのプロパティを下のように変更してみよう。

**主なプロパティ**

| プロパティ | 値 |
|---|---|
| BackColor | 黄緑色などの明るい色 |
| Caption | 文字の削除 |
| Font | フォント：MS P 明朝 |
| | サイズ：16 |

**<ヒント>**

   セル内の文字列を消す方法はセルに空白を代入する方法や、命令で消去する方法などいくつかあるので、それぞれをマクロ記録して比較してみよう。

**<例>**    Range("A10")=""

# 3 スピンボタン

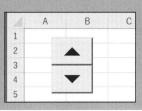 例題 15

セル・ラベル・テキストボックス内などの数値を増減させるボタン。

**主なプロパティ**

| プロパティ | 内容 |
|---|---|
| (オブジェクト名) | VBA コード上で使用する名前 |
| BackColor | 背景（スピンボタン）の色 |
| Enabled | スピンボタンの有効・無効 |
| ForeColor | 表示される▲の色 |
| Height | ボタンの縦の長さ |
| LinkedCell※ | 増減させる数値を格納するセルの場所 |
| Max | 扱う数値の上限 |
| Min | 扱う数値の下限 |
| Orientation | スピンボタンの縦型・横型・自動調整 |
| SmallChange | 増減の幅 |
| Value | スピンボタンの現在の数値 |
| Width | スピンボタンの横の長さ |

※ユーザーフォームのコントロールでは使用できないが、シート上の ActiveX コントロールでは使用できる。

**主なイベント**

| イベント名 | 内容 |
|---|---|
| _Change | 増加または減少ボタンをクリックし、値を変化させたとき |

## 今回作成するマクロ

下図のようなスピンボタンをシート上に作成し、クリックすると A5 の数値が 2 ずつ増減するようにしてみよう。　　　　　　**（ファイル名「例題 15－スピンボタン」）**

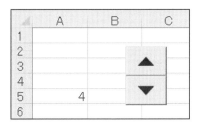

①新しいブックを用意する。

② ActiveX コントロールからスピンボタンを選択しシートに貼り付ける。

③次のようにスピンボタンのプロパティを変更する。

**主なプロパティ**

| プロパティ | 値 |
|---|---|
| LinkedCell | A5 |
| Max | 20 |
| Min | 0 |
| SmallChange | 2 |

④デザインモードを解除して、スピンボタンをクリックして実行を確認する。

### LinkedCell プロパティ

LinkedCell を使用せずに、次のようなコード記述にしてもよい。

&lt;例&gt; Private Sub SpinButton1_Change( )

　　　　　Range("A5")=　SpinButton1.Value

　　End　Sub

LinkedCell で、他のシートのセルを指定したい場合には、［シート名］！［セル番地］と半角で記述する。

&lt;例&gt; Sheet2 の A8 を指定する場合。

　　　Sheet2!A8

**練習 25**　シートの A10 に「VBA」という文字を入力しておき、そのフォントのサイズを 8 から 2 ずつ増加させ 72 まで変化させることができるスピンボタンをシートに貼り付けてみよう。

&lt;ヒント&gt;

フォントのサイズを変更するときの手順を参考にしよう。

Private Sub SpinButton1_Change( )

　　　Range("A10").Select

　　　Range("A10").　□□□□ . 　□□□□　= SpinButton1.Value

End　Sub

### コントロールのプロパティ

プロパティは、それぞれのコントロールで共通に使用しているものと、そうでないものがある。また、コントロールツールボックスとツールボックスで利用できる同じようなコントロールでも違うプロパティが存在することがある。

プロパティの設定は、VBA コードでも指定することが可能である。

&lt;例&gt;　スピンボタンのプロパティ Max の値を 100 に指定する。

　　　　　SpinButton1.Max = 100

# 4 ラベル

例題 16

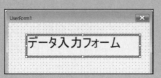

タイトルや見出しなどの文字列をユーザーフォーム内で表示したい場合や、セルの内容とは別の文字列をシート上に表示したい場合に使用する。

### 主なプロパティ

| プロパティ | 内容 |
| --- | --- |
| (オブジェクト名) | VBA コード上で使用する名前 |
| BackColor | 背景（ラベル）の色 |
| Caption | 表示される文字列 |
| Font | 表示文字の種類や大きさなど |
| ForeColor | 表示文字の色 |
| Height | ラベルの縦の長さ |
| TextAlign | 表示文字の両端揃え、中央揃え、右揃え |
| Width | ラベルの横の長さ |

### 主なイベント

| イベント名 | 内容 |
| --- | --- |
| _Click | クリックしたとき |
| _DblClick | ダブルクリックしたとき |

## 今回作成するマクロ

下図のように、コマンドボタンをクリックするとフォームが開きメッセージを表示するマクロを作成してみよう。　　　　　　　　　　**（ファイル名「例題16－ラベル」）**

①新しいブックを用意する。

② ActiveX コントロールからコマンドボタン □ を選択し、シートに貼り付ける。

③次のようにコマンドボタンのプロパティを変更する。

**主なプロパティ**

| プロパティ | 値 |
|---|---|
| Caption | フォームを開く |

④コマンドボタンをダブルクリックして VBE を起動し、次のようにコードを記述する。UserForm1 を表示させるには、Show メソッドで行う。

```
Private Sub CommandButton1_Click()
    UserForm1.Show
End Sub
```

⑤ VBE のメニューバーから [挿入 (I)] – [ユーザー フォーム (U)] を選択する。

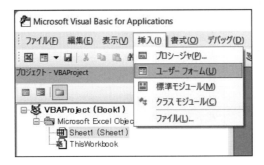

⑥ユーザーフォームが表示される。

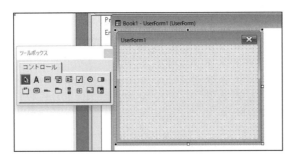

⑦ツールボックスからラベル Ⓐ を選択しユーザーフォーム上に貼り付ける。

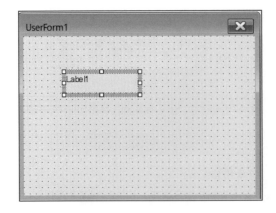

⑧次のようにラベルのプロパティを変更する。

| プロパティ | 値 |
| --- | --- |
| BackColor | 白 |
| Caption | フォームが開いた |
| Font | サイズ：20 |
| TextAlign | 2-fmTextAlignCenter |

⑨シートにもどり、デザインモードを解除して、コマンドボタンをクリックして実行を確認する。ユーザーフォームを閉じるときには ✕ をクリックする。

参考

## TextAlign プロパティ

| 1-fmTextAlignLeft | 左揃え（両端揃え） |
| --- | --- |
| 2-fmTextAlignCenter | 中央揃え |
| 3-fmTextAlignRight | 右揃え |

練習 26

例題ではユーザーフォームにラベルを貼り付けているが、ラベルはシート上にも貼り付けることができる。

まず、シート上に「クリック→赤」という文字を表示したラベルを貼り付ける。ラベルをクリックするとセル A3 の背景色を赤に、ラベルの表示も「ダブルクリック→青」となるようにしてみよう。さらに、ダブルクリックするとセル A3 の背景色が青に、ラベルの表示も「クリック→赤」という表示にもどるようにしてみよう。

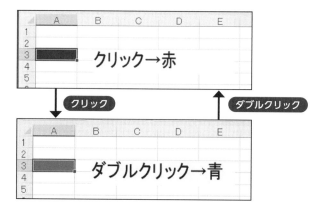

<ヒント>

クリックやダブルクリックなどイベントの切り替えは、イベント名の右側の ∨ をクリックして行う。

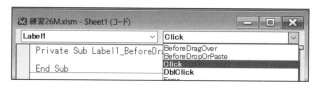

# 5 テキストボックス

**例題 17**　データ（文字列や数値）をユーザーフォーム内で入力したり、シート上でセル内の入力とは別にデータを入力したい場合に使用する。

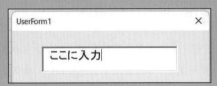

#### 主なプロパティ

| プロパティ | 内容 |
|---|---|
| （オブジェクト名） | VBA コード上で使用する名前 |
| BackColor | 背景（テキストボックス）の色 |
| ForeColor | 表示文字の色 |
| Height | テキストボックスの縦の長さ |
| IMEMode | 日本語入力の有効・無効 |
| LinkedCell※ | テキストボックスに入力された値を格納するセル |
| Text | 入力された文字列が格納されるところ。初期値として文字列をおく場合にも使用する。 |
| TextAlign | 表示文字の両端揃え、中央揃え、右揃え |
| Width | テキストボックスの横の長さ |

※ユーザーフォームのコントロールでは使用できないが、シート上の ActiveX コントロールでは使用できる。

#### 主なイベント

| イベント名 | 内容 |
|---|---|
| _Change | 入力されたとき |

## 今回作成するマクロ

　下図のように、コマンドボタンをクリックするとユーザーフォームが開き、ユーザーフォーム上のテキストボックスに文字を入力すると、その文字がシートの A10 にも表示されるマクロを作成してみよう。　**（ファイル名「例題 17－テキストボックス」）**

①新しいブックを用意する。

② ActiveX コントロールからコマンドボタンを選択し、貼り付ける。

③次のようにコマンドボタンのプロパティを変更する。

| プロパティ | 値 |
|---|---|
| Caption | フォームを開く |

④ VBE を起動して、次のようにコードを記述する。

```
Private Sub CommandButton1_Click()
    UserForm1.Show
End Sub
```

⑤ VBE のメニューバーから [挿入 (I)]−[ユーザー フォーム (U)] を選択する。

⑥ツールボックスからテキストボックス 🔳 を選択しユーザーフォーム上に貼り付ける。

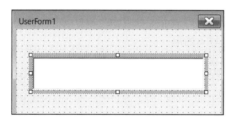

⑦次のようにテキストボックスのプロパティを変更する。

フォント名、スタイル
は任意で設定する。

| プロパティ | 値 |
|---|---|
| Font | サイズ：14 |

⑧次のようにコードを記述する。

❶ TextBox1 の内容（Text）
を A10 に表示させる

```
Private Sub TextBox1_Change()
    Range("A10") = TextBox1.Text ❶
End Sub
```

⑨シートにもどり、デザインモードを解除して、コマンドボタンをクリックしてユーザーフォームを開き、テキストボックスに適当な文字を入力して A10 に表示されることを確認する。ユーザーフォームを閉じるときには ☒ をクリックする。

---

**練習 27**

例題のようにシートにコマンドボタンを貼り付け、そこからユーザーフォームを開けるようにする。ユーザーフォームにはテキストボックスを 2 つ用意し、2 つのテキストボックスに入力された文字を連結してシートの A10 に表示させてみよう。

<ヒント> 文字列の連結には「&」を使う。

<例> TextBox1. Text & TextBox2. Text

## 6 チェックボックス

例題 18

いくつかの選択肢から複数の選択肢を選択させたい場合に使用する。

**主なプロパティ**

| プロパティ | 内容 |
|---|---|
| (オブジェクト名) | VBA コード上で使用する名前 |
| BackColor | 背景の色 |
| Caption | 表示する文字列 |
| ForeColor | 表示文字の色 |
| GroupName | 複数のチェックボックスをグループとして使用する場合につける名前 |
| Height | 縦の長さ |
| LinkedCell※ | チェックボックスの値を格納するセル |
| Value | チェックボックスがチェックされているかいないかの値が格納されている<br>チェックされている場合には「TRUE」<br>チェックされていない場合には「FALSE」 |
| Width | 横の長さ |

※ユーザーフォームのコントロールでは使用できないが、シート上の ActiveX コントロールでは使用できる。

**主なイベント**

| イベント名 | 内容 |
|---|---|
| _Click | クリックしたとき |

## 今回作成するマクロ

下図のようにコマンドボタンをクリックするとユーザーフォームが開き、チェックボックスをクリックするとチェックボックスの Value プロパティの値がシートの B10 に表示されるマクロを作成してみよう。　**（ファイル名「例題 18－チェックボックス」）**

①新しいブックを用意する。

②ActiveX コントロールからコマンドボタンを選択し、シートに貼り付ける。

③次のようにコマンドボタンのプロパティを変更する。

| プロパティ | 値 |
|---|---|
| Caption | フォームを開く |

④VBE を起動して、次のようにコードを記述する。

```
Private Sub CommandButton1_Click()
    UserForm1.Show
End Sub
```

⑤VBE のメニューバーから [挿入 (I)]-[ユーザー フォーム (U)] を選択する。

⑥ツールボックスからチェックボックス ☑ を選択しユーザーフォーム上に貼り付ける。

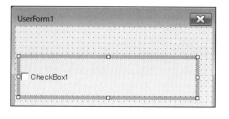

フォント名、スタイルは任意で設定する。

⑦次のようにチェックボックスのプロパティを変更する。

| プロパティ | 値 |
|---|---|
| Caption | チェックしてください |
| Font | サイズ：14 |

⑧チェックボックスをダブルクリックして、次のようにコードを記述する。

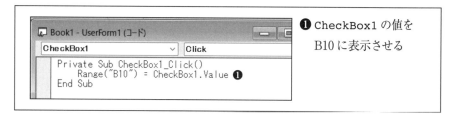

```
Private Sub CheckBox1_Click()
    Range("B10") = CheckBox1.Value ❶
End Sub
```

❶ CheckBox1 の値を
B10 に表示させる

⑨シートにもどり、デザインモードを解除して、ボタンをクリックしてユーザーフォーム上のチェックボックスをチェックする。そのときシートの B10 に値（チェックされているので TRUE）が表示される。チェックを外すと FALSE が表示される。ユーザーフォームを閉じるときには ☒ をクリックする。

............................................................................................................

練習 28

　チェックボックスは、シート上でも利用できる。例題と同じようなチェックボックスをシート上に作成してみよう。

# 7 オプションボタン

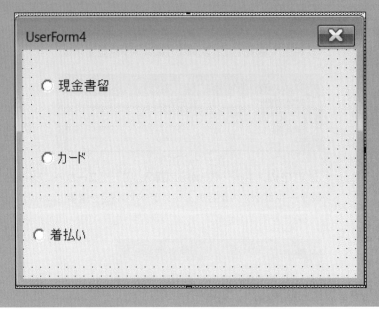

**例題 19** 複数の選択肢から1つだけ選択させる場合に使用する。

UserForm4

○ 現金書留

○ カード

○ 着払い

**■ 主なプロパティ**

| プロパティ | 内容 |
|---|---|
| (オブジェクト名) | VBA コード上で使用する名前 |
| BackColor | 背景の色 |
| Caption | 表示する文字列 |
| ForeColor | 表示文字の色 |
| GroupName | 複数のオプションボタンをグループとして使用する場合につける名前 |
| Height | 縦の長さ |
| LinkedCell※ | オプションボタンの値を格納するセル |
| Value | オプションボタンが選択されているかいないかの値が格納されている<br>選択されている場合には「True」<br>選択されていない場合には「False」 |
| Width | 横の長さ |

※ユーザーフォームのコントロールでは使用できないが、シート上の ActiveX コントロールでは使用できる。

**■ 主なイベント**

| イベント名 | 内容 |
|---|---|
| _Click | クリックしたとき |
| _Change | クリックし、Value プロパティの値が変わったとき |

## 今回作成するマクロ

　　下図のように、コマンドボタンをクリックするとユーザーフォームが開き、オプショ
ンボタンをクリックするとどれが選択されているかシートのB10に表示されるマク
ロを作成してみよう。　　　　　　　　　**（ファイル名「例題19-オプションボタン」）**

① 新しいブックを用意する。

② ActiveX コントロールからコマンドボタンを選択し、シートに貼り付ける。

③ 次のようにコマンドボタンのプロパティを変更する。

| プロパティ | 値 |
|---|---|
| Caption | フォームを開く |

④ VBE を起動して、次のようにコードを記述する。

```
CommandButton1          ∨  Click
    Option Explicit

    Private Sub CommandButton1_Click()
        UserForm1.Show
    End Sub
```

⑤ VBE のメニューバーから **[挿入 (I)]-[ユーザー フォーム (U)]** を選択する。

⑥ ツールボックスからオプションボタン  を選択しフォーム上に2個貼り付ける。

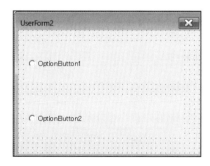

⑦ 次のようにオプションボタンのプロパティを変更する。

| コントロール | プロパティ | 値 |
|---|---|---|
| OptionButton1 | Caption | ここ |
| OptionButton2 | Caption | そこ |

⑧オプションボタン「そこ」をダブルクリックし、VBE を表示させ、次のようにコードを記述する。

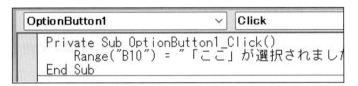

```
OptionButton1                    ∨   Click
    Private Sub OptionButton1_Click()
        Range("B10") = "「ここ」が選択されまし
    End Sub
```

⑨次にオブジェクトから「OptionButton2」(ここ)を選択し、コードを記述する。

```
OptionButton2          ∨   Click                   ∨
(General)                      Click()
OptionButton1                 」が選択されました"
OptionButton2
UserForm
        Private Sub OptionButton2_Click()

    End Sub
```

```
Private Sub OptionButton2_Click()
    Range("B10") = "「そこ」が選択されました"
End Sub
```

⑩シートにもどり、デザインモードを解除して、コマンドボタンをクリックする。ユーザーフォーム上のオプションボタンをクリックしたときのシートの B10 の値を確認する。ユーザーフォームを閉じるときには ×  をクリックする。

練習 29

次のプロパティを参照して、シート上に 2 つのオプションボタンを貼り付け、選択されると A10 の背景色が変化するようにしてみよう。

| コントロール | プロパティ | 値 |
|---|---|---|
| OptionButton1 | Caption | 赤 |
| OptionButton2 | Caption | 青 |

|   | A | B | C | D | E |
|---|---|---|---|---|---|
| 1 |   |   |   |   |   |
| 2 |   |   |   |   |   |
| 3 |   |   |   |   |   |
| 4 |   |   |   |   |   |
| 5 |   |   | ⦿赤 |   |   |
| 6 |   |   |   |   |   |
| 7 |   |   |   |   |   |
| 8 |   |   |   |   |   |
| 9 |   |   | ○青 |   |   |
| 10 |   |   |   |   |   |
| 11 |   |   |   |   |   |

# 8 リストボックス

**例題 20**　複数の選択肢から1つだけ選択させる場合に使用する。リスト上をマウスで選択できるので、選択肢が多い場合に便利である。

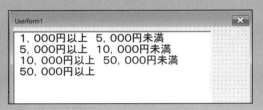

### 主なプロパティ

| プロパティ | 内容 |
|---|---|
| （オブジェクト名） | VBA コード上で使用する名前 |
| BackColor | 背景の色 |
| ForeColor | 表示文字の色 |
| Height | リストボックスの縦の長さ |
| ListFillRange[※1] | 選択肢となるデータのある場所を指定 |
| RowSource[※2] | 選択肢となるデータのある場所を指定 |
| Text | 選択されたデータが格納されるところ |
| Value | 選択されたデータが格納されるところ |
| Width | リストボックスの横の長さ |

※1　シート上の ActiveX コントロールだけで使用できる。

※2　ユーザーフォームのコントロールだけで使用できる。

### 主なイベント

| イベント名 | 内容 |
|---|---|
| _Click | クリックしたとき |

## 今回作成するマクロ

　下図のように、コマンドボタンをクリックするとユーザーフォームが開き、リストボックスのデータをクリックすると、どれが選択されたかがシートの B10 に表示されるマクロを作成してみよう。　**（ファイル名「例題 20－リストボックス」）**

①新しいブックを用意する。

②次のような衣料サイズのデータをシートに入力し、ActiveX コントロールからコマンドボタンを選択してシートに貼り付ける。実際のリストボックスのデータとなる部分は、A2 から A6 までである。

| | A | B | C | D |
|---|---|---|---|---|
| 1 | 衣料サイズ | | | |
| 2 | S | | | |
| 3 | M | | フォームを開く | |
| 4 | L | | | |
| 5 | LL | | | |
| 6 | 3L | | | |

③次のようにコマンドボタンのプロパティを変更する。

| プロパティ | 値 |
|---|---|
| Caption | フォームを開く |

④ VBE を起動して、次のようにコードを記述する。

```
Private Sub CommandButton1_Click()
    UserForm1.Show
End Sub
```

⑤ VBE のメニューバーから [挿入 (I)]-[ユーザー フォーム (U)] を選択する。

⑥ツールボックスからリストボックス▦を選択しフォーム上に貼り付ける。

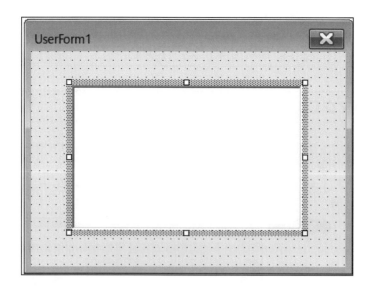

⑦次のようにリストボックスのプロパティを変更する。

| プロパティ | 値 |
|---|---|
| Font | サイズ：16 |
| RowSource | Sheet1!A2:A6 |

⑧リストボックスをダブルクリックして、次のようにコードを記述する。

```
ListBox1                          ∨    Click                          ∨
    Private Sub ListBox1_Click()
        Range("B10") = ListBox1.Value & "が選択されました" ❶
    End Sub
```

❶リストボックスの値と「が選択されました」を連結してB10に表示させる

⑨シートにもどり、デザインモードを解除して、コマンドボタンをクリックする。ユーザーフォーム上のリストボックスのデータをクリックし、シートのB10に表示される値を確認する。フォームを閉じるときには ☒ をクリックする。

練習30　　　　　例題と同様の手順で、次のような用紙選択のリストボックスを作成してみよう。

Sheet2

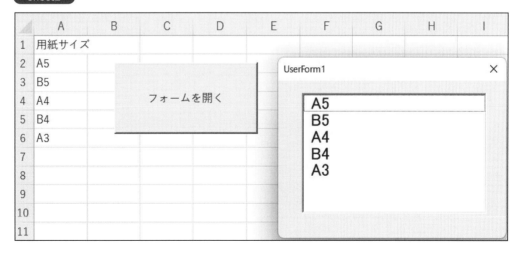

# 9 コンボボックス

例題 21　複数の選択肢から1つだけ選択させる場合に使用する。スクロールしながら選択できるため、選択肢が多い場合に便利である。またコンボボックスは、テキストボックスと同じように直接入力することもできる。

表示させるデータ数が少ないときは、スクロールバーは表示されない。

### 主なプロパティ

| プロパティ | 内容 |
| --- | --- |
| （オブジェクト名） | VBA コード上で使用する名前 |
| BackColor | 背景の色 |
| ForeColor | 表示文字の色 |
| Height | コンボボックスの縦の長さ |
| LinkedCell | コンボボックスの値を格納するセル |
| ListFillRange[※1] | 選択肢となるデータのある場所を指定 |
| RowSource[※2] | 選択肢となるデータのある場所を指定 |
| Text | 選択されたデータが格納されるところ |
| Value | 選択されたデータが格納されるところ |
| Width | コンボボックスの横の長さ |

※1　シート上の ActiveX コントロールだけで使用できる。

※2　ユーザーフォームのコントロールだけで使用できる。

### 主なイベント

| イベント名 | 内容 |
| --- | --- |
| _Change | コンボボックスの内容が変化したとき |

## 今回作成するマクロ

　下図のように、コマンドボタンをクリックするとユーザーフォームが開き、コンボボックスのデータをクリックすると、どれが選択されたかがB10に表示されるマクロを作成してみよう。　　　　　　　　**（ファイル名「例題21－コンボボックス」）**

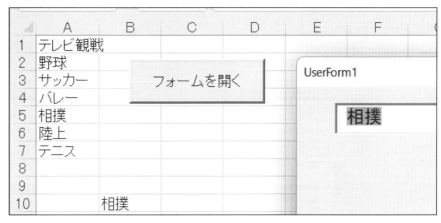

Sheet1

①新しいブックを用意する。

②テレビ観戦したスポーツのデータをシートに入力する。ActiveX コントロールからコマンドボタンを選択してシートに貼り付ける。実際のコンボボックスのデータとなる部分は、A2 から A7 までである。

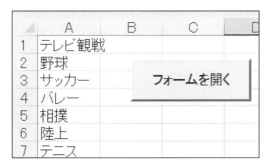

③次のようにコマンドボタンのプロパティを変更する。

| プロパティ | 値 |
|---|---|
| Caption | フォームを開く |

④ VBE を起動して、次のようにコードを記述する。

```
Private Sub CommandButton1_Click()
    UserForm1.Show
End Sub
```

⑤ VBE のメニューバーから **[挿入 (I)]－[ユーザー フォーム (U)]** を選択する。

⑥ツールボックスからコンボボックス🔲を選択しフォーム上に貼り付ける。

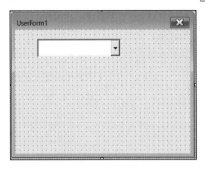

⑦次のようにコンボボックスのプロパティを変更する。

| プロパティ | 値 |
|---|---|
| Font | サイズ：14 |
| RowSource | Sheet1!A2:A7 |

⑧コンボボックスをダブルクリックして、次のようにコードを記述する。

```
Private Sub ComboBox1_Change()
    Range("B10") = ComboBox1.Value
End Sub
```

⑨シートにもどり、デザインモードを解除して、コマンドボタンをクリックしてユーザーフォーム上のコンボボックスのデータをクリックし、シートのB10に表示される値を確認する。また、データとして選択肢にないものを直接キーボードから入力し、その文字もB10に表示されるか確認する。ユーザーフォームを閉じるときには ☒ をクリックする。

参考

**コンボボックスと日本語入力**

　コンボボックスに直接入力する場合、日本語入力などの変換入力の場合には確定しないとセルに表示されない。

練習 31　　例題のテレビ観戦のリストを増やし、コンボボックスのプロパティを変更してみよう。

## 10 スクロールバー

**例題 22**

スピンボタンと同様に値を変化させるために使用する。
「LargeChange」が利用できる。

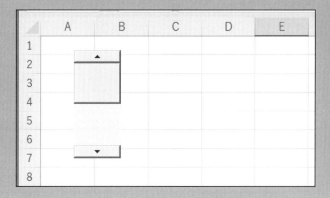

**主なプロパティ**

| プロパティ | 内容 |
|---|---|
| （オブジェクト名） | VBA コード上で使用する名前 |
| BackColor | 背景の色 |
| ForeColor | 表示される▲の色 |
| Height | スクロールバーの縦の長さ |
| LinkedCell※ | 増減させる数値を格納するセル |
| Max | 扱う数値の上限 |
| Min | 扱う数値の下限 |
| Orientation | スクロールバーの垂直型、水平型、自動型の選択 |
| SmallChange | ▲を操作したときの増減の幅 |
| LargeChange | ▲とバーの間のトラックを操作したときの増減の幅 |
| Value | スクロールバーの現在の数値 |
| Width | スクロールバーの横の長さ |

※ユーザーフォームのコントロールでは使用できないが、シート上の ActiveX コントロールでは使用できる。

**主なイベント**

| イベント名 | 内容 |
|---|---|
| _Change | 増加または減少ボタンをクリックし、値を変化させたとき |

## 今回作成するマクロ

下図のようなスクロールバーをシート上に作成し、▲や▼をクリックすると A5 の数値は 2 ずつ、トラックをクリックすると 10 ずつ増減するようにしてみよう。

**（ファイル名「例題 22－スクロールバー」）**

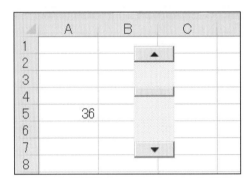

①新しいブックを用意する。

② ActiveX コントロールからスクロールバーを選択し、シートに貼り付ける。

③次のようにスクロールバーのプロパティを変更する。

| プロパティ | 値 |
|---|---|
| Max | 100 |
| Min | 0 |
| SmallChange | 2 |
| LargeChange | 10 |

④スクロールバーをダブルクリックし、VBE を起動し、次のようにコードを記述する。

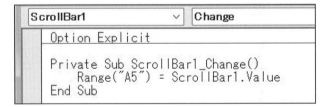

⑤デザインモードを解除して、▲とトラックの操作で値の変化を確認する。

---

練習 32

シートの 3 行目の行の高さを 14 から 100 まで変化させるスクロールバーを作成してみよう。ただし、SmallChange は 1、LargeChange は 10 とする。

**＜ヒント＞**

行の高さの変更操作をマクロ記録してみると、

```
Rows("3:3").RowHeight = 66
```

というような記述があり、行の高さの変更は、RowHeight プロパティで行っていることがわかる。

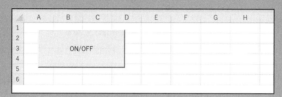

例題 23

ボタンが押されていないときと押されたままのときの2つの状態をクリックで切り替えるボタン。

UserForm1

ON/OFF

設定／解除

### 主なプロパティ

| プロパティ | 内容 |
|---|---|
| （オブジェクト名） | VBA コード上で使用する名前 |
| BackColor | 背景（トグルボタン）の色 |
| Caption | 表示する文字列 |
| ForeColor | 表示文字の色 |
| Height | トグルボタンの縦の長さ |
| LinkedCell※ | トグルボタンの値を格納するセル |
| Value | トグルボタンが押されているかどうかの値が格納されている<br>押されている場合には「True」<br>押されていない場合には「False」 |
| Width | トグルボタンの横の長さ |

※ユーザーフォームのコントロールでは使用できないが、シート上の ActiveX コントロールでは使用できる。

### 主なイベント

| イベント名 | 内容 |
|---|---|
| _Click | クリックしたとき |

## 今回作成するマクロ

　下図のようなトグルボタンをシート上に作成し、クリックすると A5 にトグルボタンの Value プロパティの値を表示し、ボタンが押されているかどうかがわかるように Caption プロパティを変更できるようにコードを記述してみよう。

**（ファイル名「例題 23－トグルボタン」）**

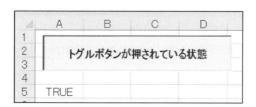

①新しいブックを用意する。

② ActiveX コントロールからトグルボタンを選択し、シートに貼り付ける。

③次のようにトグルボタンのプロパティを変更する。

| プロパティ | 値 |
|---|---|
| Caption | トグルボタンが押されていない状態 |

④ VBE を起動し、次のようにコードを記述する。

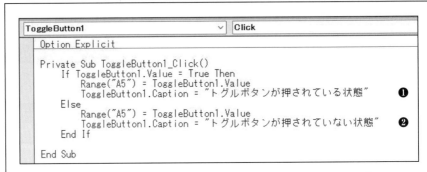

❶ ToggleButton1 の Value の値が True になったら Value の値を A5 に
表示させ、表示文字を「トグルボタンが押されている状態」に変更する

❷ ToggleButton1 の Value の値が False になったら Value の値を A5
に表示させ、表示文字を「トグルボタンが押されていない状態」に変更する

⑤デザインモードを解除して、トグルボタンをクリックしてみる。A5 に表示される
値とトグルボタンの表示文字を確認し、トグルボタンの状態と Value プロパティ
の値の関係を理解する。

練習 33

　　下図のようにコマンドボタンをクリックするとユーザーフォームが開き、トグルボ
タンが押された状態で、シートの A5 と A7 に「領収証を必要とする」、「明細を必
要とする」と表示できるようにし、トグルボタンの表示も同様に表示させ、トグル
ボタンをもどした状態では、必要ないことを表示させるユーザーフォームを作成し
てみよう。

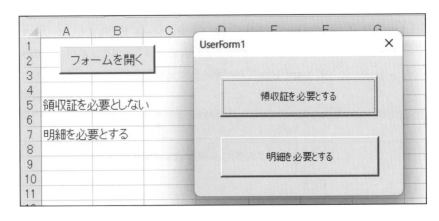

（ファイル名「実習問題 09 −弁当」）

お弁当の分類をオプションボタンから選び、その種類をリストボックスに表示させるユーザーフォームを作成しなさい。

リストボックスのデータは、Sheet2、Sheet3、Sheet4 に用意する。

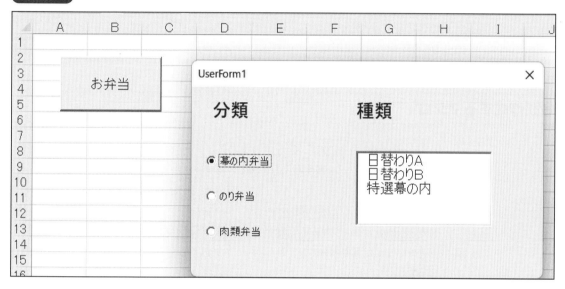

Sheet1

Sheet2 / Sheet3 / Sheet4

**＜ヒント＞**

オプションボタンを選択すると、リストボックスの RowSource プロパティが変更されればよい。

```
ListBox1.RowSource = "Sheet2!A2:A4"
```

## 1 入力しやすい表の作成

例題 24

　毎年データを変更する表の場合、表の様式を残し、昨年の不要なデータだけを消去し、新たにデータを入力できるようにすると便利である。また、データを入力する際に、セルポインタの移動を下方向にするか右方向にするかを選ぶことができると効率よくデータを入力できる。これらの処理をマクロを利用してボタン1つでできるようにしよう。

### 今回作成するマクロ

　Sheet1 の 10 月〜 12 月の文房具の売上データを入力し、売上を求める。[データの消去]ボタンを押すと入力されていたデータは消去される。[データ入力の範囲]ボタンを押すとデータを入力する範囲だけが反転表示となる。[データ入力の範囲]ボタンを押す前に[セルポインタの移動方向を右に]ボタンを押すとデータ入力後に[Enter]を押したときにセルポインタが右に移動される。[セルポインタの移動方向を下に]ボタンを押したときには下に移動される。　　**（ファイル名「例題 24 −文房具売上集計」）**

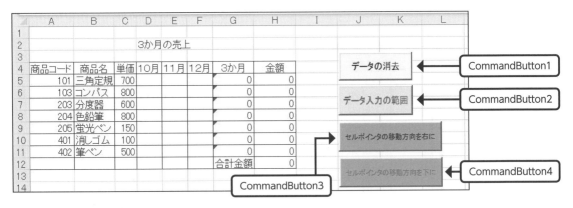

### 1 ワークシートにデータを入力

①新規に作成したワークシートに次ページのようなデータを入力する。

合計→ Sum

②G 列の項目「3 か月」は 10 月〜 12 月の合計、H 列の項目「金額」は「単価」×「3 か月」の式を入力する。

| | A | B | C | D | E | F | G | H |
|---|---|---|---|---|---|---|---|---|
| 1 | | | | | | | | |
| 2 | | | | 3か月の売上 | | | | |
| 3 | | | | | | | | |
| 4 | 商品コード | 商品名 | 単価 | 10月 | 11月 | 12月 | 3か月 | 金額 |
| 5 | 101 | 三角定規 | 700 | | | | 0 | 0 |
| 6 | 103 | コンパス | 800 | | | | 0 | 0 |
| 7 | 203 | 分度器 | 600 | | | | 0 | 0 |
| 8 | 204 | 色鉛筆 | 800 | | | | 0 | 0 |
| 9 | 205 | 蛍光ペン | 150 | | | | 0 | 0 |
| 10 | 401 | 消しゴム | 100 | | | | 0 | 0 |
| 11 | 402 | 筆ペン | 500 | | | | 0 | 0 |
| 12 | | | | | | | 合計金額 | 0 |
| 13 | | | | | | | | |

# 2　マクロを記述

### 1．データ消去のマクロを記述

コントロールの表示方法
メニューから［開発］
タブ－＜コントロール＞－［挿入］

コマンドボタン

①表の右側に ActiveX コントロールのコマンドボタンを貼り付ける。

コントロールを貼り付けた直後はデザインモードとなっている。デザインモードのときは、貼り付けたコントロールをクリックすると

ハンドル（白い丸）がついた状態になる。

また、デザインモードのときは、 が押された状態になっている。デザインモードになっていなければ、このボタンをクリックする。

②コマンドボタンのプロパティを変更する。

デザインモード（ハンドルのついた状態）でマウスポインタをコマンドボタンに重ねて右クリックし、表示されたショートカットメニューから**［プロパティ(I)］**を選択する。プロパティウィンドウが表示されるので、次のように設定する。

| コントロール | プロパティ | 値 | 参考 |
|---|---|---|---|
| CommandButton1 | Caption | データの消去 | |
| | Font | サイズ：11 | 少し大きめにする |
| | BackColor | | 黄色など明るい色にする |

③ VBA のコードを記述する。

コマンドボタンをダブルクリックし、VBE を起動させ次のようなコード記述をする。

❶変数を必ず宣言するという記述

❷「ClearContents」が消去のためのメソッド（命令）である

　※ Range("D5:F11")=""　と記述することもできる

5
章

④シートにもどり、デザインモードを解除する。D5：F11 に適当な数値を入力し、[データの消去] ボタンをクリックしたら消去されるか確認する。

## 2. 入力範囲指定のマクロを記述

①コマンドボタンを貼り付ける。

②コマンドボタンのプロパティを変更する。

| コントロール | プロパティ | 値 | 参考 |
|---|---|---|---|
| CommandButton2 | Caption | データ入力の範囲 | |
| | Font | サイズ：11 | 少し大きめにする |
| | ForeColor | | 赤色など目立つ色にする |

③ VBA のコードを記述する。コマンドボタンをダブルクリックし、VBE を起動させ次のようなコード記述をする。

```
Private Sub CommandButton2_Click()
    Range("D5:F11").Select ❶
End Sub
```

❶ D5 から F11 を選択する

④シートにもどり、デザインモードを解除する。[データ入力の範囲] ボタンをクリックして D5 から F11 が選択されるか確認する。

---

**練習 34**　前に作成した [データの消去] ボタンとともに入力と消去を確認してみよう。

## 3. セルポインタの移動方向を右に変えるマクロを記述

①コマンドボタンを貼り付ける。

②コマンドボタンのプロパティを変更する。

| コントロール | プロパティ | 値 | 参考 |
|---|---|---|---|
| CommandButton3 | Caption | セルポインタの移動方向を右に | |
| | Font | サイズ：9 | 少し小さめにする |
| | ForeColor | | 青色など目立つ色にする |

③ VBA のコードを記述する。コマンドボタンをダブルクリックし、VBE を起動させ次のようなコード記述をする。

```
Private Sub CommandButton3_Click()
    ActiveCell.Select❶
    Application.MoveAfterReturnDirection = xlToRight❷
End Sub
```

❶ **ActiveCell** は現在のセルポインタの場所を示す

❷ **Application.MoveAfterReturnDirection** の値を変えるとセルポインタの移動方向を変えることができる。**xlToRight** は、右に移動という意味

④シートにもどる。

参考

**セルポインタの移動方向**

**Application.MoveAfterReturnDirection**
の値によって次のようになる。

| 方向 | 値 |
| --- | --- |
| 右 | xlToRight |
| 左 | xlToLeft |
| 上 | xlUp |
| 下 | xlDown |

**練習 35**　　ボタンをクリックし、[ Enter ]を押したときにセルポインタが移動する方向を確かめてみよう。

### 4. セルポインタの移動方向を下に変えるマクロを記述
①コマンドボタンを貼り付ける。

②コマンドボタンのプロパティを変更する。

| コントロール | プロパティ | 値 | 参考 |
| --- | --- | --- | --- |
| CommandButton4 | Caption | セルポインタの移動方向を下に | |
| | Font | サイズ：9 | 少し小さめにする |
| | ForeColor | | 緑色など明るい色にする |

③ VBA のコードを記述する。コマンドボタンをダブルクリックし、VBE を起動させ次のようなコード記述をする。

```
Private Sub CommandButton4_Click()
    ActiveCell.Select
    Application.MoveAfterReturnDirection = xlDown❶
End Sub
```

❶セルポインタの動きを下方向にする

④シートにもどり、デザインモードを解除して、実行を確認する。

**練習 36**　　例題 24 に、コマンドボタンをクリックすると、セルポインタの移動方向を左や上に変更できるマクロを追加してみよう。

# 2 データベース関数の活用

**例題 25**　日付順の担当者の取引金額のデータだけがある場合、担当者ごとにデータをまとめられると便利である。ここでは、あらかじめワークシートに設定したデータベース関数を利用して、担当者ごとの集計情報（合計・平均・最大・最小・件数）を確認できるマクロを作成しよう。

## 今回作成するマクロ

Sheet1 の 11 行目以降に日付・担当者名・取引金額のデータが入力されており、D4 に示された担当者をもとに、データベース関数を用いて B 列に、合計・平均・最大・最小・件数が表示されるように設定されている。

ここでは、「担当者の取引金額の合計」ボタンをクリックすると、インプットボックスが表示され、そこに担当者名を入力すると、セル D4 に値（担当者名）が渡され、集計の結果がメッセージボックスにより表示されるようにする。同様にして、「担当者の取引金額の平均」「担当者の取引金額の最大値」「担当者の取引金額の最小値」「担当者の取引件数」のボタンを作成し、担当者ごとの取引データが表示されるようにしよう。**（ファイル名「例題 25－取引金額記録表」）**

Sheet1

| | A | B | C | D | E | F | G | H | I |
|---|---|---|---|---|---|---|---|---|---|
| 1 | 3月 | | | | | | | | |
| 2 | | 取引集計表 | | | | | | | |
| 3 | | | | 担当者名 | | 担当者の取引金額の合計 | | | |
| 4 | 合計 | 5,700 | | | | | | | |
| 5 | 平均 | 518 | | | | 担当者の取引金額の平均 | | | |
| 6 | 最大 | 1,000 | | | | | | | |
| 7 | 最小 | 140 | | | | | | | |
| 8 | 件数 | 11 | | | | 担当者の取引金額の最大値 | | | |
| 9 | | | | | | | | | |
| 10 | 日付 | 担当者名 | 取引金額 | | | 担当者の取引金額の最小値 | | | |
| 11 | 3月1日 | 高橋 | 950 | | | | | | |
| 12 | 3月1日 | 野村 | 150 | | | 担当者の取引件数 | | | |
| 13 | 3月1日 | 稲葉 | 140 | | | | | | |
| 14 | 3月2日 | 鈴木 | 540 | | | | | | |
| 15 | 3月2日 | 高橋 | 200 | | | | | | |
| 16 | 3月2日 | 稲葉 | 720 | | | | | | |
| 17 | 3月3日 | 高橋 | 760 | | | | | | |
| 18 | 3月3日 | 野村 | 420 | | | | | | |
| 19 | 3月3日 | 稲葉 | 450 | | | | | | |
| 20 | 3月4日 | 野村 | 370 | | | | | | |
| 21 | 3月4日 | 高橋 | 1000 | | | | | | |
| 22 | | | | | | | | | |

# 1 ワークシートにデータを入力

データベース関数
合計→ Dsum
平均→ Daverage
最大→ Dmax
最小→ Dmin
件数→ Dcount

①新規に作成したワークシートに次のようなデータを入力する。

| | A | B | C | D |
|---|---|---|---|---|
| 1 | 3月 | | | |
| 2 | | 取引集計表 | | |
| 3 | | | | 担当者名 |
| 4 | 合計 | | | |
| 5 | 平均 | | | |
| 6 | 最大 | | | |
| 7 | 最小 | | | |
| 8 | 件数 | | | |
| 9 | | | | |
| 10 | 日付 | 担当者名 | 取引金額 | |
| 11 | 3月1日 | 高橋 | 950 | |
| 12 | 3月1日 | 野村 | 150 | |
| 13 | 3月1日 | 稲葉 | 140 | |
| 14 | 3月2日 | 鈴木 | 540 | |
| 15 | 3月2日 | 高橋 | 200 | |
| 16 | 3月2日 | 稲葉 | 720 | |
| 17 | 3月3日 | 高橋 | 760 | |
| 18 | 3月3日 | 野村 | 420 | |
| 19 | 3月3日 | 稲葉 | 450 | |
| 20 | 3月4日 | 野村 | 370 | |
| 21 | 3月4日 | 高橋 | 1000 | |

② B4 には合計を求めるためのデータベース関数を用いた式を入力する。
   `=DSUM($A$10:$C$21,3,$D$3:$D$4)`
③ B5 には平均を求めるためのデータベース関数を用いた式を入力する。
   `=DAVERAGE($A$10:$C$21,3,$D$3:$D$4)`
④ B6 には最大を求めるためのデータベース関数を用いた式を入力する。
   `=DMAX($A$10:$C$21,3,$D$3:$D$4)`
⑤ B7 には最小を求めるためのデータベース関数を用いた式を入力する。
   `=DMIN($A$10:$C$21,3,$D$3:$D$4)`
⑥ B8 には件数を求めるためのデータベース関数を用いた式を入力する。
   `=DCOUNT($A$10:$C$21,3,$D$3:$D$4)`

**練習 37**　D4 に担当者名を入力して関数式が正しいかどうかを確認してみよう。

## 2 マクロを記述

### 1. 担当者名を入力すると合計金額を表示させるマクロを記述

①表の右側にコマンドボタンを貼り付ける。

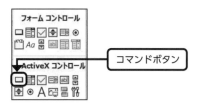

コントロールを貼り付けた直後はデザインモードとなっている。デザインモードのときは、貼り付けたコントロールをクリックするとハンドルがついた状態となる。

また、デザインモードのときは、[🖿デザインモード] が押された状態になっている。デザインモードになっていなければ、このボタンをクリックする。

②コマンドボタンのプロパティを変更する。

貼り付けたコマンドボタンを右クリックして、**[プロパティ (I)]** を選び、プロパティウィンドウを表示させ次のように設定する。

| コントロール | プロパティ | 値 | 参考 |
|---|---|---|---|
| CommandButton1 | Caption | 担当者の取引金額の合計 | |
| | Font | | 適当な大きさにする |
| | BackColor | | 明るい色にする |

③ VBA コードを記述する。

コマンドボタンをダブルクリックし、VBE を起動させ次のようなコードを記述する。

❶ ans はメッセージボックスで表示させる金額を格納する変数

❷インプットボックスを利用して担当者名を入力させる

　　　　変数 ＝ InputBox（入力メッセージ）

　　　　※メッセージは「"」(ダブルコーテーション) で囲む

　　代入先は、変数のほかセルを Range や Cells で指定してもよい

❸シートで集計された結果を変数に転記する

❹メッセージボックスで「金額の合計は○○ (ans の値 )」と結果を表示させる

　　　　MsgBox（出力メッセージ & 変数）

④ワークシート画面にも
どって確認を行う。

担当者の取引金額の合計

ボタンをクリックする
と、右のようなイン
プットボックスが表示

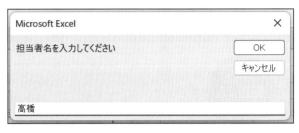

されるので、担当者名「高橋」を入力する。

⑤ OK をクリックすると、次のようなメッセージボック
スが表示される。

⑥ OK をクリックすると、メッセージボックスが閉じる。

---

**練習 38**　　ボタンをクリックして、インプットボックスに担当者名「野村」を入力して結果を
確認してみよう。

## 2. 担当者名を入力すると平均金額を表示させるマクロを記述

①コマンドボタンを貼り付ける。
②コマンドボタンのプロパティを変更する。

| コントロール | プロパティ | 値 | 参考 |
|---|---|---|---|
| CommandButton2 | Caption | 担当者の取引金額の平均 | |
| | Font | | 適当な大きさにする |
| | BackColor | | 目立つ色にする |

③ VBA のコードを記述する。

　コマンドボタンをダブルクリックし、VBE を起動させ次のようなコードを記述する。

```
Private Sub CommandButton2_Click()
    Dim ans As Integer
    Range("D4") = InputBox("担当者名を入力してください")
    ans = Range("B5")
    MsgBox ("金額の平均は" & ans)
End Sub
```

④ワークシート画面にもどって確認を行う。

---

**練習 39**　　同様の手順で残り 3 つのボタンを作成し、例題 25 を完成させよう。ボタンに表示
する文字のフォントや色は自由に指定してよい。

# 3 VLOOKUP関数の活用

例題 26　スピンボタンを利用すると、セルに表示される数値を次々と変更することができる。変更される数値を検索値として VLOOKUP 関数を設定しておけば、スピンボタンをクリックするだけで、値を検索して表示させることができる。ここでは、けん玉のある級の検定基準を抜き出して表示させるマクロを作成しよう。

## 今回作成するマクロ

けん玉検定の基準表を Sheet1 に作成し、Sheet2 には特定の級だけを表示させる表を作成する。Sheet2 の値は、VLOOKUP 関数を利用して表示できるようにする。けん玉の級をスピンボタンを利用して変更すると、VLOOKUP 関数によって対応する級の値が表示される。複雑なマクロ記述なしにプロパティの設定だけで作成できる。

**（ファイル名「例題 26－けん玉検定基準表」）**

Sheet1

| | A | B | C | D | E | F | G | H | I | J | K | L | M | N |
|---|---|---|---|---|---|---|---|---|---|---|---|---|---|---|
| 1 | けん玉級位基準表 | | | | | | | | | | | | | |
| 2 | | | | | | | | | | | | 単位：回 | | |
| 3 | | 級位 | 大皿 | 小皿 | 中皿 | ろうそく | とめけん | 飛行機 | ふりけん | 日本一周 | 世界一周 | 灯台 | もしかめ | |
| 4 | | 10 | 1 | | | | | | | | | | | |
| 5 | | 9 | 2 | 1 | | | | | | | | | | |
| 6 | | 8 | 3 | 2 | 1 | | | | | | | | | |
| 7 | | 7 | | 3 | 2 | 1 | | | | | | | | |
| 8 | | 6 | | | 3 | 2 | 1 | | | | | | | |
| 9 | | 5 | | | | 3 | 2 | 1 | | | | | | |
| 10 | | 4 | | | | | 3 | 2 | 1 | | | | | |
| 11 | | 3 | | | | | | 3 | 2 | 1 | | | | |
| 12 | | 2 | | | | | | | 3 | 2 | 1 | | | |
| 13 | | 1 | | | | | | | | 3 | 2 | 1 | 50／2 | |
| 14 | | | | | | | | | | | | | | |

Sheet2

| | A | B | C | D | E | F | G | H | I | J | K | L | M | N |
|---|---|---|---|---|---|---|---|---|---|---|---|---|---|---|
| 1 | | | | | | | | | | | | | | |
| 2 | | けん玉級位認定基準表 | | | | | | | | | | | | |
| 3 | | | | | | | | | | | | | | |
| 4 | | | | | | | | | | | | 単位：回 | | |
| 5 | ▲ | 級位 | 大皿 | 小皿 | 中皿 | ろうそく | とめけん | 飛行機 | ふりけん | 日本一周 | 世界一周 | 灯台 | もしかめ | |
| 6 | ▼ | 3 | 0 | 0 | 0 | 0 | 0 | 3 | 2 | 1 | 0 | 0 | 0 | |
| 7 | | | | | | | | | | | | | | |
| 8 | | | | | | | | | | | | | | |

# 1 ワークシートにデータを入力

①新規に作成したワークシート（Sheet1）に次のようなデータを入力する。

けん玉級位基準表　　単位:回

| 級位 | 大皿 | 小皿 | 中皿 | ろうそく | とめけん | 飛行機 | ふりけん | 日本一周 | 世界一周 | 灯台 | もしかめ |
|---|---|---|---|---|---|---|---|---|---|---|---|
| 10 | 1 | | | | | | | | | | |
| 9 | 2 | 1 | | | | | | | | | |
| 8 | 3 | 2 | 1 | | | | | | | | |
| 7 | | 3 | 2 | 1 | | | | | | | |
| 6 | | | 3 | 2 | 1 | | | | | | |
| 5 | | | | 3 | 2 | 1 | | | | | |
| 4 | | | | | 3 | 2 | 1 | | | | |
| 3 | | | | | | 3 | 2 | 1 | | | |
| 2 | | | | | | | 3 | 2 | 1 | | |
| 1 | | | | | | | | 3 | 2 | 1 | 50／2 |

②ワークシート（Sheet2）に次のような表を入力する。

けん玉級位認定基準表　　単位:回

| 級位 | 大皿 | 小皿 | 中皿 | ろうそく | とめけん | 飛行機 | ふりけん | 日本一周 | 世界一周 | 灯台 | もしかめ |
|---|---|---|---|---|---|---|---|---|---|---|---|
| 3 | 0 | 0 | 0 | 0 | 0 | 3 | 2 | 1 | 0 | 0 | 0 |

③Sheet2 の B6 には検定級の値が入力される。

④Sheet2 の C6 から M6 までは、B6 の値を利用して Sheet1 から各値を参照している。C6 には次のように関数を入力する。

　　=VLOOKUP（$B$6,Sheet1! $B$4:$M$13,2,0）

⑤Sheet2 の D6 ～ M6 の式は次のとおりである。

　　=VLOOKUP（$B$6,Sheet1! $B$4:$M$13,3,0）

　　=VLOOKUP（$B$6,Sheet1! $B$4:$M$13,4,0）

　　=VLOOKUP（$B$6,Sheet1! $B$4:$M$13,5,0）

　　=VLOOKUP（$B$6,Sheet1! $B$4:$M$13,6,0）

　　=VLOOKUP（$B$6,Sheet1! $B$4:$M$13,7,0）

　　=VLOOKUP（$B$6,Sheet1! $B$4:$M$13,8,0）

　　=VLOOKUP（$B$6,Sheet1! $B$4:$M$13,9,0）

　　=VLOOKUP（$B$6,Sheet1! $B$4:$M$13,10,0）

　　=VLOOKUP（$B$6,Sheet1! $B$4:$M$13,11,0）

　　=VLOOKUP（$B$6,Sheet1! $B$4:$M$13,12,0）

5章

## 2 スピンボタンの設定

① Sheet2 の表の左側にスピンボタンを貼り付ける。

コントロールを貼り付けた直後はデザインモードとなっている。

デザインモードのときには、貼り付けたコントロールにハンドルがついた状態になっている。

②スピンボタンのプロパティを変更する。

貼り付けたスピンボタンのプロパティウィンドウを表示させ、次のように設定する。

| コントロール | プロパティ | 値 |
|---|---|---|
| SpinButton1 | Max | 10 |
| | Min | 1 |
| | SmallChange | 1 |
| | LinkedCell | B6 |

③デザインモードを解除し、スピンボタンをクリックして動作を確認する。

---

**練習 40**

スピンボタンの LinkedCell プロパティのかわりに VBA のコードを記述してみよう。

**＜手順＞**

①スピンボタンのプロパティの LinkedCell に設定した値を削除する。

②スピンボタンが機能するかを確認する。

LinkedCell の指定がないので機能しない。

③スピンボタンに VBA のコードを記述する。

デザインモードにしてスピンボタンをダブルクリックして、次のような VBA のコードを記述する。

```
SpinButton1          ∨    Change
    Private Sub SpinButton1_Change()
        Range("B6") = SpinButton1.Value ❶
    End Sub
```

❶スピンボタンをクリックして変更された値は、Value プロパティに格納されているので、それを B6 に格納する

④スピンボタンをクリックして実行を確認する。

例題 27

同じデザインのワークシートを何枚も作成するのは、シートの切り替えや、名前の変更など意外と面倒な作業の繰り返しである。このような同じ作業の繰り返しはマクロでの自動化に最適といえる。ここでは、基本となる表やシートの名前の表をあらかじめ用意し、それを元に家計簿のシートを自動的に作成してみよう。

## 今回作成するマクロ

Sheet1 に作成したシート名と表を元に、複数シートを自動的に作成し、表の内容もコピーする。　　　　　　　　　　**（ファイル名「例題 27－家計簿シート作成」）**

Sheet1

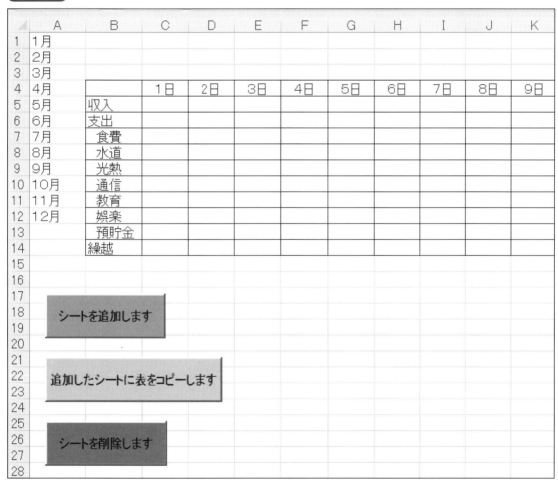

## 1 ワークシートにデータを入力

①新規に作成したワークシートに次のようなデータを入力する。日付は、31日まで 入力する。

| | A | B | C | D | E | F | G | H | I | J |
|---|---|---|---|---|---|---|---|---|---|---|
| 1 | | | | | | | | | | |
| 2 | | | | | | | | | | |
| 3 | | | | | | | | | | |
| 4 | | | 1日 | 2日 | 3日 | 4日 | 5日 | 6日 | 7日 | 8日 |
| 5 | | 収入 | | | | | | | | |
| 6 | | 支出 | | | | | | | | |
| 7 | | 食費 | | | | | | | | |
| 8 | | 水道 | | | | | | | | |
| 9 | | 光熱 | | | | | | | | |
| 10 | | 通信 | | | | | | | | |
| 11 | | 教育 | | | | | | | | |
| 12 | | 娯楽 | | | | | | | | |
| 13 | | 預貯金 | | | | | | | | |
| 14 | | 繰越 | | | | | | | | |
| 15 | | | | | | | | | | |

②A列には次のようなデータを入力する。これは追加するワークシートのシート名になる。

| | A |
|---|---|
| 1 | 1月 |
| 2 | 2月 |
| 3 | 3月 |
| 4 | 4月 |
| 5 | 5月 |
| 6 | 6月 |
| 7 | 7月 |
| 8 | 8月 |
| 9 | 9月 |
| 10 | 10月 |
| 11 | 11月 |
| 12 | 12月 |
| 13 | |

## 2 マクロを記述

### 1. ワークシートの追加マクロを記述

①表の下などにコマンドボタンを貼り付ける。

コントロールを貼り付けた直後はデザインモードとなっており、貼り付けたコントロールにハンドルがついた状態になっている。

②コマンドボタンのプロパティを変更する。

貼り付けたコマンドボタンのプロパティウィンドウを表示させ、次のように設定する。

| コントロール | プロパティ | 値 | 参考 |
|---|---|---|---|
| CommandButton1 | Caption | シートを追加します | |
| | Font | | 少し大きめにする |
| | BackColor | | 好きな色にする |

③VBA のコードを記述する。

```
CommandButton1                                    ∨  Click
  Option Explicit

  Private Sub CommandButton1_Click()
      Dim n As Integer ❶
      For n = 1 To 12 ❷
          Sheets("Sheet1").Select
          Sheets.Add ❸
          ActiveSheet.Activate
          ActiveSheet.name = Cells(n, 1).Value ❹
          Next
      Sheets("Sheet1").Select
  End Sub
```

❶シート名の数を格納する変数 n を用意する

❷シートの A1 から A12 までのシート名を Cells を利用して namae に格納
するための繰り返し命令

❸シートを追加するコード

❹追加したシートをアクティブにして Sheet1 に記入してある名前を設定する

④ワークシート画面にもどり、実行を確認する。

## 2. 追加したシートに Sheet1 にある表をコピーするマクロを記述

①コマンドボタンを貼り付ける。

②コマンドボタンのプロパティを変更する。

| コントロール | プロパティ | 値 | 参考 |
|---|---|---|---|
| CommandButton1 | Caption | 追加したシートに表をコピーします | |
| | Font | | 少し大きめにする |
| | BackColor | | 好きな色にする |

③VBA のコードを記述する。

```
CommandButton2                                    ∨  Click

  Private Sub CommandButton2_Click()
      Dim n As Integer ❶
      Dim namae As String ❷
      Sheets("Sheet1").Select
      Range("B4:AG14").Select      ❸
      Selection.Copy
      For n = 1 To 12 ❹
          namae = Sheets("Sheet1").Cells(n, 1) ❺
          Sheets(namae).Select
          ActiveSheet.Range("B4").Select     ❻
          ActiveSheet.Paste
          ActiveSheet.Range("B4").Select
          Sheets("Sheet1").Select
          Range("B4").Select
      Next
      Worksheets("Sheet1").Select
  End Sub
```

❶ループの回数のための変数 n を宣言

❷シート名を格納するための変数 namae

❸Sheet1 をアクティブにし、表の範囲を選択し、選択部分をコピーする

❹シートの数だけループを実行する

❺最初のシート名を Sheet1 の A1 から Cells を利用して取り出す

❻namae に格納してあるシート名のシートをアクティブにし、そのシートの
B4 を基点として Sheet1 からコピーした範囲を貼り付ける

④ワークシート画面にもどる。

練習 41

〔 追加したシートに表をコピーします 〕ボタンをクリックして、各シートに表がコピーされるかを確認してみよう。

## 3. 追加したシートを削除するマクロを記述

①コマンドボタンを貼り付ける。

②コマンドボタンのプロパティを変更する。

| コントロール | プロパティ | 値 | 参考 |
|---|---|---|---|
| CommandButton3 | Caption | シートを削除します | |
| | Font | | 少し大きめにする |
| | BackColor | | 好きな色にする |

③ VBA のコードを記述する。

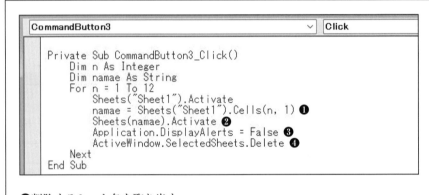

```
CommandButton3                                    ∨   Click

    Private Sub CommandButton3_Click()
        Dim n As Integer
        Dim namae As String
        For n = 1 To 12
            Sheets("Sheet1").Activate
            namae = Sheets("Sheet1").Cells(n, 1) ❶
            Sheets(namae).Activate ❷
            Application.DisplayAlerts = False ❸
            ActiveWindow.SelectedSheets.Delete ❹
        Next
    End Sub
```

❶削除するシート名を取り出す

❷❶の名前のシートをアクティブにする

❸「`Application.DisplayAlerts`」の値を「`False`」に設定すると、下図のメッセージを表示せずにシートを削除できる

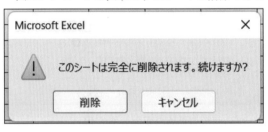

❹アクティブなシートを削除する

④ワークシート画面にもどる。

練習 42

〔 シートを削除します 〕ボタンをクリックし、シートが削除されるかどうかを確認する。

# 5 ユーザーフォームの利用

　すでにできあがったワークシートの一部のデータだけを変更しようとすると、残しておかなければならない部分を変更してしまったり、せっかく入力した計算式を消してしまったりすることがある。複数の人がデータの変更を行うようなワークシートでは、入力用のフォームを作成して、そこからデータを入力してもらうと間違いが起きにくい。ここでは、だんご屋の注文をユーザーフォームを用いて受けられるようにし、代金をワークシートで計算し、ユーザーフォームに表示させるマクロを作成しよう。

## 今回作成するマクロ

　Sheet1 にだんごの種類と単価が記録されている表を作成し、代金の計算ができるように式を入れておく。

　ユーザーフォームを呼び出し、その中で注文をチェックボックスで行い、数量についてはテキストボックスおよびスピンボタンを利用する。

　注文をチェックしたり、数量を変えるたびに計算結果も新しくなるようにする。

**（ファイル名「例題 28－だんご注文票」）**

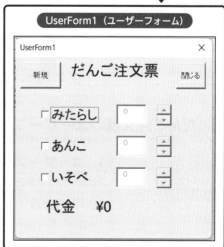

## 1 ワークシートにデータを入力

①新規に作成したワークシートに次のようなデータを入力する。

| | A | B | C | D |
|---|---|---|---|---|
| 1 | | だんご注文表 | | |
| 2 | 種類 | 単価 | 注文本数 | 金額 |
| 3 | みたらし | 80 | 0 | 0 |
| 4 | あんこ | 90 | 0 | 0 |
| 5 | いそべ | 90 | 0 | 0 |
| 6 | | | 合計 | 0 |

※ D3 から D5 の金額や D6 の合計の欄は計算式や関数を入れる。

**練習 43** 表の注文本数に数値を入力して、計算式等が正しいか確かめてみよう。

## 2 マクロを記述

### 1. ユーザーフォームに本数を入力すると合計金額が表示されるマクロを記述

①表の右側にコマンドボタンを貼り付ける。

②コマンドボタンのプロパティを変更する。

貼り付けたコマンドボタンのプロパティウィンドウを表示させ次のように設定する。

| コントロール | プロパティ | 値 | 参考 |
|---|---|---|---|
| CommandButton1 | Caption | 注文票 | |
| | Font | | ボタンに合わせて大きくする |
| | BackColor | | 目立つ色にする |

③ VBA のコードを記述する。

```
CommandButton1          ∨   Click
    Private Sub CommandButton1_Click()
        UserForm1.Show ❶
    End Sub
```

❶このあと作成する注文票のユーザーフォームを開くための命令。UserForm1 （ユーザーフォーム）はこの時点ではまだ作成していないので、名前の頭文字が自動的には大文字にならない

## 3 だんご注文票のユーザーフォームを作成

### 1. ユーザーフォームの作成

①ユーザーフォームは VBE の画面で作成するので、VBE を起動させる。

VBE の起動は、シート上に貼り付けたコマンドボタンをダブルクリックせずに Excel メニューから ［開発］－＜コード＞－［Visual Basic］ と選択してもよい。

② VBE のメニューから ［挿入（I）］－［ユーザー フォーム（U）］を選択する。

## 2. コントロールの貼り付け

①次のようにコントロールを貼り付け、プロパティを設定する。

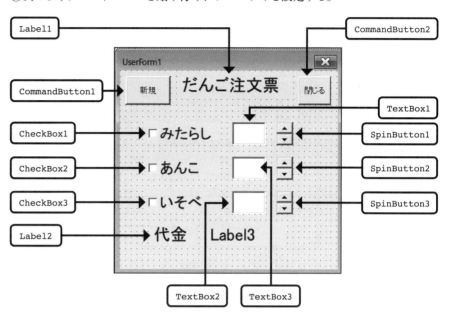

| コントロール | プロパティ | 値 | 参考 |
|---|---|---|---|
| Label1 | Caption | だんご注文票 | |
| | Font | | 少し大きめにする |
| Label2 | Caption | 代金 | |
| | Font | | 少し大きめにする |
| Label3 | Caption | | 初期値のままでよい |
| | Font | | 少し大きめにする |
| CheckBox1 | Caption | みたらし | |
| | Font | | 少し大きめにする |
| CheckBox2 | Caption | あんこ | |
| | Font | | 少し大きめにする |
| CheckBox3 | Caption | いそべ | |
| | Font | | 少し大きめにする |
| TextBox1 | Text | | 初期値は設定しない |
| TextBox2 | Text | | 初期値は設定しない |
| TextBox3 | Text | | 初期値は設定しない |
| SpinButton1 | Max | 50 | |
| | Min | 0 | |
| SpinButton2 | Max | 50 | |
| | Min | 0 | |
| SpinButton3 | Max | 50 | |
| | Min | 0 | |
| CommandButton1 | Caption | 新規 | |
| CommandButton2 | Caption | 閉じる | |

②ワークシート画面にもどって確認を行う。閉じるときには ☒ をクリックする。

### 3. VBA のコードを記述

VBE を起動させる。VBE の画面で、ユーザーフォームが表示されていない場合には、プロジェクトエクスプローラの「UserForm1」をダブルクリックする。

ダブルクリックではなく、右クリックをして、「コードの表示」を選択してもよい。

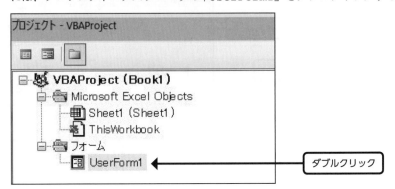

①ユーザーフォームの 新規 ボタンをダブルクリックし、次のようにコードを記述する。

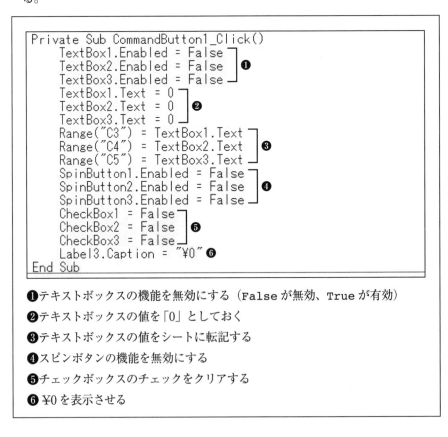

```
Private Sub CommandButton1_Click()
    TextBox1.Enabled = False
    TextBox2.Enabled = False        ❶
    TextBox3.Enabled = False
    TextBox1.Text = 0
    TextBox2.Text = 0               ❷
    TextBox3.Text = 0
    Range("C3") = TextBox1.Text
    Range("C4") = TextBox2.Text     ❸
    Range("C5") = TextBox3.Text
    SpinButton1.Enabled = False
    SpinButton2.Enabled = False     ❹
    SpinButton3.Enabled = False
    CheckBox1 = False
    CheckBox2 = False               ❺
    CheckBox3 = False
    Label3.Caption = "¥0"  ❻
End Sub
```

❶テキストボックスの機能を無効にする（False が無効、True が有効）

❷テキストボックスの値を「0」としておく

❸テキストボックスの値をシートに転記する

❹スピンボタンの機能を無効にする

❺チェックボックスのチェックをクリアする

❻¥0 を表示させる

②ユーザーフォームのチェックボックスのコードを設定する。「みたらし」のチェックボックスをダブルクリックし、次のようにコードを記述する。

```
Private Sub CheckBox1_Click()
    If CheckBox1.Value = True Then
        TextBox1.Enabled = True
        SpinButton1.Enabled = True
        TextBox1.Text = 1
        SpinButton1.Value = 1                    ❶
    Else
        TextBox1.Enabled = False
        SpinButton1.Enabled = False
        TextBox1.Text = 0
    End If
    Range("C3") = TextBox1.Text ❷
    Label3.Caption = "¥" & Range("D6") ❸

End Sub
```

❶チェックボックスがチェックされている場合には、Value プロパティが「True」なので、チェックされている場合の処理とチェックがはずれたときの処理を記述する。チェックされたときには、テキストボックスを有効にし、数量として1を設定し、スピンボタンも有効にし1を設定する。チェックボックスがはずされたときには、テキストボックスとスピンボタンを無効にし、テキストボックスには数量として0を表示する

❷のテキストボックスの値をワークシートに転記

❸計算結果をユーザーフォームに反映させる

③コードのウィンドウを閉じ、「あんこ」「いそべ」チェックボックスをダブルクリックし、「みたらし」と同様、次のようにコードを記述する。

```
Private Sub CheckBox2_Click()
    If CheckBox2.Value = True Then
        TextBox2.Enabled = True
        SpinButton2.Enabled = True
        TextBox2.Text = 1
        SpinButton2.Value = 1
    Else
        TextBox2.Enabled = False
        SpinButton2.Enabled = False
        TextBox2.Text = 0
    End If
    Range("C4") = TextBox2.Text
    Label3.Caption = "¥" & Range("D6")

End Sub
```

```
Private Sub CheckBox3_Click()
    If CheckBox3.Value = True Then
        TextBox3.Enabled = True
        SpinButton3.Enabled = True
        TextBox3.Text = 1
        SpinButton3.Value = 1
     Else
        TextBox3.Enabled = False
        SpinButton3.Enabled = False
        TextBox3.Text = 0
    End If
    Range("C5") = TextBox3.Text
    Label3.Caption = "¥" & Range("D6")

End Sub
```

④それぞれのテキストボックスをダブルクリックして、次のようにコードを記述する。

```
Private Sub TextBox1_Change()
    SpinButton1.Value = TextBox1.Text
End Sub

Private Sub TextBox2_Change()
    SpinButton2.Value = TextBox2.Text
End Sub

Private Sub TextBox3_Change()
    SpinButton3.Value = TextBox3.Text
End Sub
```

　テキストボックスの **Text** プロパティの値をスピンボタンの **Value** プロパティに転記し、連動させるための記述

⑤それぞれのスピンボタンをダブルクリックして、次のようにコードを記述する。

```
Private Sub SpinButton1_Change()
    TextBox1.Text = SpinButton1.Value
    Range("C3") = TextBox1.Text
    Label3.Caption = "¥" & Range("D6")
End Sub

Private Sub SpinButton2_Change()
    TextBox2.Text = SpinButton2.Value
    Range("C4") = TextBox2.Text
    Label3.Caption = "¥" & Range("D6")

End Sub

Private Sub SpinButton3_Change()
    TextBox3.Text = SpinButton3.Value
    Range("C5") = TextBox3.Text
    Label3.Caption = "¥" & Range("D6")

End Sub
```

　スピンボタンの **Value** プロパティの値をテキストボックスの **Text** プロパティに転記して連動させるとともに、ワークシートにも値を転記して計算結果をもどす記述

⑥ 閉じる ボタンをダブルクリックし、次のようにコードを記述する。

```
Private Sub CommandButton2_Click()
    End
End Sub
```

　このコマンドボタンのプロシージャを終了する命令を記述する。同時にユーザーフォームも閉じることになる。

⑦フォームを開いたときと 新規 ボタンを押したときの状態を同じにするために、コードウィンドウの最終行に次のようにコードを記述する。

```
Private Sub UserForm_Initialize()
    CommandButton1_Click
End Sub
```

・・・・・・・・・・・・・・・・・・・・・・・・・・・・・・・・・・・・・・・・・・・・・・・・・・・・・・・・・・・・・・・・・・・・・・・・・・・・・

**練習 44**　　　　例題 28 の 注文票 ボタンをクリックし、マクロの実行を確認しよう。

# 6 ユーザーフォームを利用したデータベースの作成

 例題 29

例題 28 のだんご注文票では、ユーザーフォームに入力したデータは次のデータを入力すると消えてしまっていたが、入力したデータをワークシートに次々と記録してデータベースを作ることもできる。ここでは、ユーザーフォームを利用して、名簿を作成してみよう。

## 今回作成するマクロ

Sheet1 には氏名、よみ（姓）、よみ（名）を入力できるような表を作成しておく。番号はあらかじめ用意しておく（ここでは 40 件）。

入力支援 ボタンをクリックすると下のようなユーザーフォームが表示され、入力する番号を指定し、氏名、よみ（姓)、よみ（名）を入力できるようになっている。確認入力 ボタンをクリックすると、データがワークシートに格納される。

**（ファイル名「例題 29－名簿入力支援 1」）**

# 1 ワークシートにデータを入力

①新規に作成したワークシートに次のような項目名と番号の連番データ（40まで）を入力する（40件に特別な意味はなく、他の数値でもよい）。

| | A | B | C | D |
|---|---|---|---|---|
| 1 | 番号 | 氏名 | よみ(姓) | よみ(名) |
| 2 | 1 | | | |
| 3 | 2 | | | |
| 4 | 3 | | | |
| 5 | 4 | | | |
| 6 | 5 | | | |
| 7 | 6 | | | |
| 8 | 7 | | | |
| 9 | 8 | | | |
| 10 | 9 | | | |
| 11 | 10 | | | |

# 2 フォームを呼び出すボタンを作成し、コードを記述

①ツールボックスからコマンドボタンを貼り付け、プロパティを変更する。

| コントロール | プロパティ | 値 | 参考 |
|---|---|---|---|
| | Caption | 入力支援 | |
| CommandButton1 | Font | | 適当な大きさで良い |
| | BackColor | | 好きな色で良い |

②コマンドボタンをダブルクリックし、VBE を呼び出し、次のように記述する。

```
Option Explicit

Private Sub CommandButton1_Click()
    UserForm1.Show ❶
End Sub
```

❶ UserForm1 を呼び出す。UserForm1（ユーザーフォーム）はこの時点ではまだ作成していないので、名前の頭文字が自動的には大文字にならない。ユーザーフォームはこの後作成する

# 3 入力支援のためのユーザーフォームを作成

## 1. ユーザーフォームの作成
① VBE を起動する。
② VBE のメニューから [挿入 (I)]−[ユーザーフォーム (U)] を選択する。

## 2. コントロールの貼り付け

①次のようにコントロールを貼り付け、プロパティを設定する。

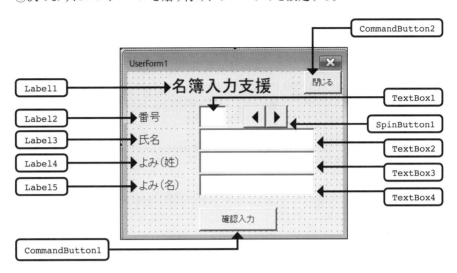

| コントロール | プロパティ | 値 | 参考 |
|---|---|---|---|
| Label1 | Caption | 名簿入力支援 | |
| | Font | | 少し大きめにする |
| Label2 | Caption | 番号 | |
| | Font | | 少し大きめにする |
| Label3 | Caption | 氏名 | |
| | Font | | 少し大きめにする |
| Label4 | Caption | よみ（姓） | |
| | Font | | 少し大きめにする |
| Label5 | Caption | よみ（名） | |
| | Font | | 少し大きめにする |
| TextBox1 | Text | | 初期値は設定しない |
| TextBox2 | Text | | 初期値は設定しない |
| TextBox3 | Text | | 初期値は設定しない |
| TextBox4 | Text | | 初期値は設定しない |
| SpinButton1 | Max | 40 | |
| | Min | 1 | |
| | SmallChange | 1 | |
| CommandButton1 | Caption | 確認入力 | |
| CommandButton2 | Caption | 閉じる | |

........................................................................................................

**練習 45**　　シートにもどり、デザインモードを解除し、入力支援 ボタンを実行し、ユーザーフォームが表示されるかを確認してみよう。

※ 閉じる ボタンにはまだマクロを記述していないので、ユーザーフォームを閉じるときには ✕ をクリックする。

# 4 マクロを記述

デザインモードにして、[入力支援]ボタンをダブルクリックしてVBEを起動させる。ユーザーフォームが表示されていない場合には、プロジェクトエクスプローラの「UserForm1」をダブルクリックする。

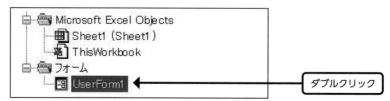

①ユーザーフォームのスピンボタンをダブルクリックし、次のようにコードを記述する。

```
Private Sub SpinButton1_Change()
    Sheets("Sheet1").Activate
    TextBox1.Text = Cells(1 + SpinButton1.Value, 1)
    TextBox2.Text = Cells(1 + SpinButton1.Value, 2)
    TextBox3.Text = Cells(1 + SpinButton1.Value, 3)
    TextBox4.Text = Cells(1 + SpinButton1.Value, 4)
End Sub
```

❶

❶テキストボックスに入力済のデータを表示させる。データの行番号は1行目の項目名の分でスピンボタンの Value プロパティの値より1多くなっているので、Cells では行番号を1増やして指定する。

②ユーザーフォームの[確認入力]ボタンをダブルクリックし、次のようにコードを記述する。

```
Private Sub CommandButton1_Click()
    Sheets("sheet1").Activate
    Cells(1 + SpinButton1.Value, 2) = TextBox2.Text
    Cells(1 + SpinButton1.Value, 3) = TextBox3.Text
    Cells(1 + SpinButton1.Value, 4) = TextBox4.Text
End Sub
```

③ユーザーフォームの[閉じる]ボタンをダブルクリックし、次のようにコードを記述する。

```
Private Sub CommandButton2_Click()
    End
End Sub
```

練習 46　シートにもどり、デザインモードを解除し、 入力支援 ボタンをクリックし、ユーザーフォームを利用して次のようなデータを入力してみよう。

データ

| | A | B | C | D | E |
|---|---|---|---|---|---|
| 1 | 番号 | 氏名 | よみ(姓) | よみ(名) | |
| 2 | 1 | 佐藤宏篤 | さとう | ひろあつ | |
| 3 | 2 | 戸田弘樹 | とだ | ひろき | |
| 4 | 3 | 中川修二 | なかがわ | しゅうじ | |
| 5 | 4 | | | | |
| 6 | 5 | | | | |

＜入力手順＞

①入力支援 ボタンをクリックする。

②スピンボタンで「番号」を「1」にする。

③氏名、よみ（姓）、よみ（名）を入力し、 確認入力 ボタンをクリックし、シートに書き込まれたかを確認する。

④スピンボタンで「番号」を「2」にする。

⑤氏名、よみ（姓）、よみ（名）を入力し、 確認入力 ボタンをクリックし、シートに書き込まれたかを確認する。

⑥以下、残りの1名分のデータを入力する。

5
章

## 7 オプションボタンの利用

 **例題 30**　　例題 29 で作成したユーザーフォームに性別を入力する部分を追加しよう。

### 今回作成するマクロ

　例題 29 の Sheet1 に、新たに性別の項目を追加し、ユーザーフォーム上でも性別の入力ができるようにする。

　性別の入力は、オプションボタンを利用する。

　すでに入力されているデータを見る場合にもデータがあれば、男女のオプションボタンのどちらかが押され、データが無ければ押されない状態に表示する。

（ファイル名「例題 30 − 名簿入力支援 2」）

Sheet1

| | A | B | C | D | E | F | G |
|---|---|---|---|---|---|---|---|
| 1 | 番号 | 氏名 | よみ（姓） | よみ（名） | 性別 | | |
| 2 | 1 | 佐藤宏篤 | さとう | ひろあつ | | 入力支援 | |
| 3 | 2 | 戸田弘樹 | とだ | ひろき | | | |
| 4 | 3 | 中川修二 | なかがわ | しゅうじ | | | |

## 1 ワークシートに項目を追加

練習46でデータを入力したワークシートに次のように性別の項目名を追加する。

| | A | B | C | D | E | F | G |
|---|---|---|---|---|---|---|---|
| 1 | 番号 | 氏名 | よみ（姓） | よみ（名） | 性別 | | |
| 2 | 1 | 佐藤宏篤 | さとう | ひろあつ | | | 入力支援 |
| 3 | 2 | 戸田弘樹 | とだ | ひろき | | | |
| 4 | 3 | 中川修二 | なかがわ | しゅうじ | | | |
| 5 | 4 | | | | | | |

## 2 ユーザーフォームを修正

①デザインモードにして、入力支援 ボタンをダブルクリックして VBE を起動させる。

ユーザーフォームが表示されていない場合には、プロジェクトエクスプローラの「UserForm1」をダブルクリックし、次のようにコントロールの追加を行う。

<注意>

オプションボタンをフォームで囲むときは、フレームを後から作成するとオプションボタンに重なってボタンが見えなくなってしまう。先にフレームを作成し、その上にオプションボタンを配置する。

②追加したコントロールのプロパティを次のように設定する。

| コントロール | プロパティ | 値 |
|---|---|---|
| Frame1 | Caption | 性別 |
| OptionButton1 | Caption | 男 |
| OptionButton2 | Caption | 女 |

## 3 コードを修正

①スピンボタンのコードを修正する。

```
Private Sub SpinButton1_Change()
    Sheets("Sheet1").Activate
    TextBox1.Text = Cells(1 + SpinButton1.Value, 1)
    TextBox2.Text = Cells(1 + SpinButton1.Value, 2)
    TextBox3.Text = Cells(1 + SpinButton1.Value, 3)
    TextBox4.Text = Cells(1 + SpinButton1.Value, 4)

    OptionButton1.Value = False
    OptionButton2.Value = False
    If Cells(1 + SpinButton1.Value, 5) = "男" Then
        OptionButton1.Value = True
    ElseIf Cells(1 + SpinButton1.Value, 5) = "女" Then
        OptionButton2.Value = True
    End If
End Sub
```

ここを追加

※オプションボタンは、フレーム内のどれか1つだけのボタンが押されるものである。
押されている状態は、Value プロパティが「True」であり、押されていない状
態は「False」である。したがって、最初両方のオプションボタンを押されてい
ない状態にし、「男」というデータがあれば、男のオプションボタンを「True」に
し、「女」というデータがあれば、女のオプションボタンを「True」にする。

②[確認入力]ボタンのコードを次のように修正する。

```
Private Sub CommandButton1_Click()
    Sheets("sheet1").Activate
    Cells(1 + SpinButton1.Value, 2) = TextBox2.Text
    Cells(1 + SpinButton1.Value, 3) = TextBox3.Text
    Cells(1 + SpinButton1.Value, 4) = TextBox4.Text

    If OptionButton1.Value = True Then
        Cells(1 + SpinButton1.Value, 5) = "男"
    ElseIf OptionButton2.Value = True Then
        Cells(1 + SpinButton1.Value, 5) = "女"
    End If
End Sub
```

ここを追加

**練習 47**

[入力支援]ボタンをクリックし、スピンボタンを用いて入力してあるデータの性別
の表示を確認しよう。
　以前のデータには性別が入力されていないので、オプションボタンは押されてい
ない状態になっていることを確認する。

**練習 48**

次のデータを新たに入力してみよう。
番号：4
氏名：長谷部徹
よみ（姓）：はせべ
よみ（名）：とおる
性別：男

# 8 リストボックスの利用

例題 31

例題 30 で作成した性別の入力部分をリストボックスに変更しよう。

## 今回作成するマクロ

例題 30 の Sheet2 に、性別のデータを置き、ユーザーフォームの中でリストボックスで参照する。性別の入力はリストボックスで行えるように変更する。

すでに入力されているデータを見る場合にもデータがあれば、男女のリストが選択されている状態に表示する。

(ファイル名「例題 31 －名簿入力支援 3」)

Sheet1

| | A | B | C | D | E | F | G |
|---|---|---|---|---|---|---|---|
| 1 | 番号 | 氏名 | よみ(姓) | よみ(名) | 性別 | | |
| 2 | 1 | 佐藤宏篤 | さとう | ひろあつ | | | |
| 3 | 2 | 戸田弘樹 | とだ | ひろき | | 入力支援 | |
| 4 | 3 | 中川修二 | なかがわ | しゅうじ | | | |
| 5 | 4 | 長谷部徹 | はせべ | とおる | 男 | | |
| 6 | 5 | | | | | | |

Sheet2

| | A | B |
|---|---|---|
| 1 | 性別 | |
| 2 | 男 | |
| 3 | 女 | |
| 4 | | |
| 5 | | |

UserForm1 (ユーザーフォーム)

# 1 ワークシートに性別データを追加

以前に作成したワークシートの Sheet2 に次のように性別のデータを追加する。

|   | A | B |
|---|---|---|
| 1 | 性別 | |
| 2 | 男 | |
| 3 | 女 | |
| 4 | | |
| 5 | | |

# 2 ユーザーフォームを修正

①デザインモードにして、入力支援ボタンをダブルクリックして VBE を起動させる。

ユーザーフォームが表示されていない場合には、プロジェクトエクスプローラの「UserForm1」をダブルクリックする。

②フレームをクリックし、ハンドルが付いた状態にし、Delete キーを押して、コントロールを削除する。

③次のようにコントロールの追加を行う。

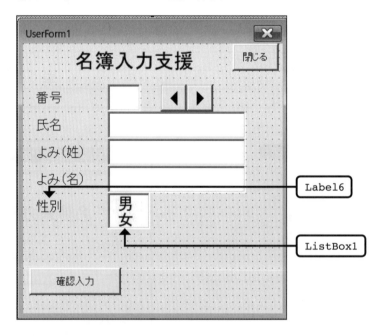

④追加したコントロールのプロパティを次のように設定する。

| コントロール | プロパティ | 値 |
|---|---|---|
| Label6 | Caption | 性別 |
| ListBox1 | RowSource | Sheet2!A2:A3 |

## 3 コードを修正

①スピンボタンのコードを修正する。

```
Private Sub SpinButton1_Change()
    Sheets("Sheet1").Activate
    TextBox1.Text = Cells(1 + SpinButton1.Value, 1)
    TextBox2.Text = Cells(1 + SpinButton1.Value, 2)
    TextBox3.Text = Cells(1 + SpinButton1.Value, 3)
    TextBox4.Text = Cells(1 + SpinButton1.Value, 4)

    ListBox1.ListIndex = -1
    If Cells(1 + SpinButton1.Value, 5) = "男" Then          ← ここを修正
        ListBox1.ListIndex = 0
    ElseIf Cells(1 + SpinButton1.Value, 5) = "女" Then
        ListBox1.ListIndex = 1
    End If

End Sub
```

※リストボックスの何番目が選択されているかは、`ListIndex`プロパティで知ることができる。最初のリストは0番目として数える。ここでは、最初の「男」が0番目、「女」が1番目である。選択されていない状態を作るには、`ListIndex`プロパティに「-1」を設定する。

②[確認入力]ボタンのコードを次のように修正する。

```
Private Sub CommandButton1_Click()
    Sheets("Sheet1").Activate
    Cells(1 + SpinButton1.Value, 2) = TextBox2.Text
    Cells(1 + SpinButton1.Value, 3) = TextBox3.Text
    Cells(1 + SpinButton1.Value, 4) = TextBox4.Text
    Cells(1 + SpinButton1.Value, 5) = ListBox1.Value          ← ここを修正
End Sub
```

---

**練習49**　[入力支援]ボタンをクリックし、スピンボタンを用いて以前入力したデータの性別の表示が正しいか確認しよう。

**練習50**　次のデータを新たに入力してみよう。

番号：5
氏名：安西裕子
よみ（姓）：あんざい
よみ（名）：ゆうこ
性別：女

（ファイル名「実習問題 10−3 択問題」）

次の手順にしたがって 3 択問題集を作成しなさい。

① Sheet1 に図 1 のような問題フォームを表示するためのボタンをおく。

図 1

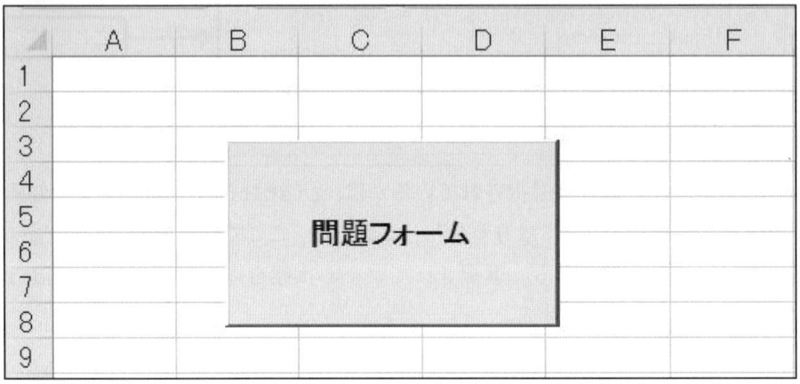

| ▲ | A | B | C | D | E | F |
|---|---|---|---|---|---|---|
| 1 |  |  |  |  |  |  |
| 2 |  |  |  |  |  |  |
| 3 |  |  |  |  |  |  |
| 4 |  |  | 問題フォーム |  |  |  |
| 5 |  |  |  |  |  |  |
| 6 |  |  |  |  |  |  |
| 7 |  |  |  |  |  |  |
| 8 |  |  |  |  |  |  |
| 9 |  |  |  |  |  |  |

② Sheet2 に図 2 のように問題番号、問題文、選択肢、正解番号を作成しておく。

図 2

| ▲ | A | B | C | D | E | F |
|---|---|---|---|---|---|---|
| 1 | 問題番号 | 問題 | 選択肢1 | 選択肢2 | 選択肢3 | 正解番号 |
| 2 | 1 | 信号機の色の順番は？ | 赤黄青 | 赤青黄 | 青黄赤 | 3 |
| 3 | 2 | 東京湾アクアラインの中継地点は | アクアポット | ウミホタル | ホタル | 2 |
| 4 | 3 | 一坪の大きさは? | 約180cm四方 | 約90cm四方 | 約45cm四方 | 1 |
| 5 | 4 |  |  |  |  |  |
| 6 | 5 |  |  |  |  |  |

③図 4 のように問題フォームでは Sheet2 の問題を転記して使用し、スピンボタンによって問題を変更できる。選択肢は、オプションボタンで選択できるようにし、[判定]ボタンをクリックすることにより、選択したものが正解かはずれかを判断し、表示させるようにする。

図 3

図 4

次のようにシートにスピンボタンとラベルを貼り付け、九九の計算をさせるマクロを記述しなさい。

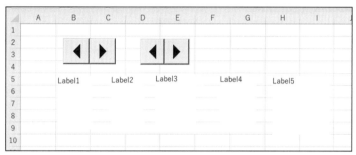

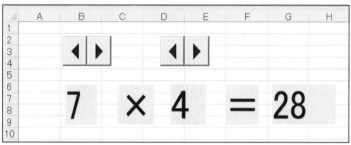

| コントロール | プロパティ | 値 | 参考 |
|---|---|---|---|
| SpinButton1 | Min | 1 | |
| | Max | 9 | |
| | Value | 1 | |
| SpinButton2 | Min | 1 | |
| | Max | 9 | |
| | Value | 1 | |
| Label1 | Caption | 1 | |
| | Font | | サイズ：貼り付けた大きさにあわせる |
| Label2 | Caption | × | |
| | Font | | サイズ：貼り付けた大きさにあわせる |
| Label3 | Caption | 1 | |
| | Font | | サイズ：貼り付けた大きさにあわせる |
| Label4 | Caption | = | |
| | Font | | サイズ：貼り付けた大きさにあわせる |
| Label5 | Caption | | 空白にする |
| | Font | | サイズ：貼り付けた大きさにあわせる |

### ＜ヒント＞

　スピンボタンのコード記述では、スピンボタンの Value プロパティの値を必要なラベルに移すとともに、2つのスピンボタンの Value プロパティの値を掛けあわせた結果を必要なラベルに移す。

（ファイル名「実習問題 12－色変更」）

スクロールバーと RGB 関数を用いてセル A1 の塗りつぶしの色を変更するマクロを記述しなさい。

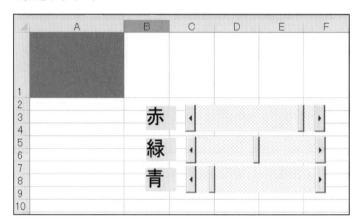

| コントロール | プロパティ | 値 | 参考 |
|---|---|---|---|
| ScrollBar1 | Min | 0 | |
| | Max | 255 | |
| | SmallChange | 1 | |
| | LargeChange | 10 | |
| ScrollBar2 | Min | 0 | |
| | Max | 255 | |
| | SmallChange | 1 | |
| | LargeChange | 10 | |
| ScrollBar3 | Min | 0 | |
| | Max | 255 | |
| | SmallChange | 1 | |
| | LargeChange | 10 | |
| Label1 | Caption | 赤 | |
| | Font | | サイズ：貼り付けた大きさにあわせる |
| Label2 | Caption | 緑 | |
| | Font | | サイズ：貼り付けた大きさにあわせる |
| Label3 | Caption | 青 | |
| | Font | | サイズ：貼り付けた大きさにあわせる |

**＜ヒント＞**

スクロールバーは、スピンボタンと同様に LargeChange というプロパティが利用できるコントロールである。

スクロールバーによって変更された Value プロパティの値を RGB 関数に引数として与えることによりカラーを設定する。

セルの塗りつぶしの色は、セルを指定する Range("A1").Select と、そのカラーのプロパティである Selection.Interior.color を設定することによって変更できる。

RGB 関数は RGB（赤の数値，緑の数値，青の数値）で指定し、各数値は 0 ～ 255 までの数値である。例えば、赤の数値が 255 で他の数値が 0 であれば赤色になる。

（ファイル名「実習問題 13 －トグルボタン」）

チェックボックスと同様に ON と OFF の状態を表示できるトグルボタンを利用して、ワークシートの自動計算機能を解除する切り替えボタンを作成しなさい。

| コントロール | プロパティ | 値 | 参考 |
|---|---|---|---|
| ToggleButton1 | Caption | 自動計算 | |

<ヒント>

チェックボックスがチェックされていない状態とチェックされている状態があるように、トグルボタンでは、押されていない状態と押されたままの状態がある。

その状態は、Value プロパティで知ることができ、押されていない状態は False、押されたままの状態は True の値を持つ。それを If 文で判断し、Caption の値を変更するコード記述を行う。

自動計算にするには、次のようなコードを記述する。

```
Range("A1").Select
Application.Calculation = xlCalculationAutomatic
```

実際に自動計算機能を解除するためには、次のようなコードを記述する。

```
Range("A1").Select
Application.Calculation = xlCalculationManual
```

計算機能についての設定は、[数式] タブ－＜計算方法＞－ [計算方法の設定] で設定する。マクロ記録を利用して参考にしてみよう。

# 簡単なシステムの作成

## 1 この章で作成するシステム

　とある音楽配信会社は、配信元として「pMO」「デマンドM」「モバモバ」とい
うサイトを運営している。毎週週末に各サイト担当者から、売上であるダウンロー
ド数のデータが、Excelのファイルで本社に送られてくる。本社では、そのデータ
を1枚のワークシートにまとめて、週毎や配信元毎にダウンロード数の集計や印刷
を行う。このように、定期的に同じ処理を行う場合、マクロで入力から出力までの
流れを自動化すると便利である。同一目的のために作られたマクロやフォーム、ワー
クシートをシステムと呼ぶことができる。
　今回は、次のような「DL集計システム」を作成する。

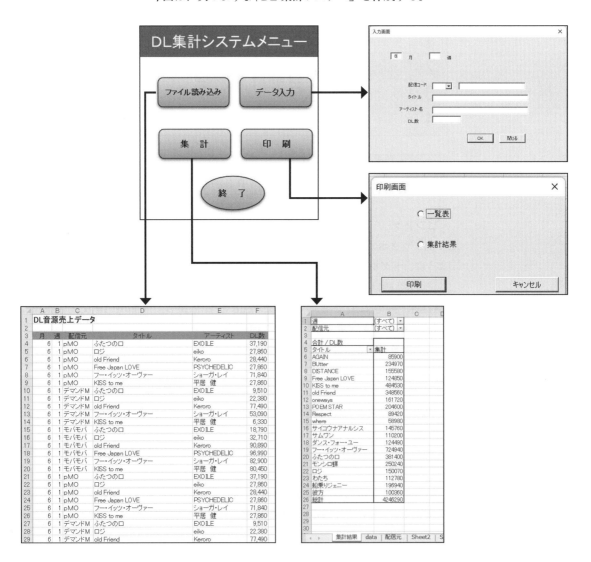

# 2 複数ブックからのデータ集計

他のブックのデータを別なブックのワークシートに複写し、1つのワークシートにデータを蓄積していく。それによりワークシート、セル、ブックの操作方法を学習する。またデータのコピー先はいつも同じセルではないので、可変するセル範囲の選択方法も学習する。蓄積されたデータは、Excel のデータベース機能が利用できる条件を満たした形式のワークシートに作成する。

## 今回作成するマクロ

とある音源配信会社は、「pMO」、「デマンド M」、「モバモバ」という配信サイトを運営している。毎週週末に、各サイトの責任者から DL 売上数のデータが Excel のファイルで本社に送られてくる。本社では、そのデータを1枚のワークシートにまとめてデータベース化している。そこで、各サイトのファイルを開き、本社のシートにデータが連続するように自動的にコピーするマクロを作成する。

（ファイル名「例題 32－DL 集計」）

（読み込みデータファイル名「pMO, デマンド M, モバモバ」）

※読み込みデータファイルは事前に「例題 32－DL 集計」を保存するフォルダに保存しておくこと。**ここでは、ドライブ C の「VBA」というフォルダに作成、保存するものとする。**

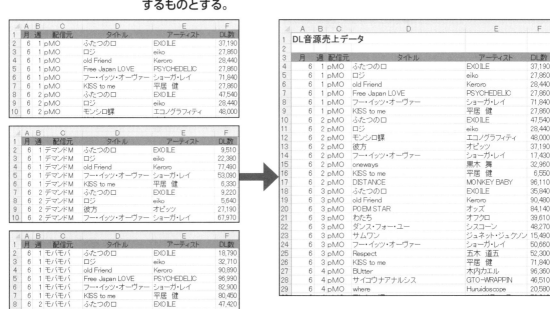

## 1 データベース用のワークシートを準備

①新規作成したワークシートに次ページの項目名だけを入力する。

②シート見出し「data」を入力する。

③ファイル名「例題 32 − DL 集計」で保存する。

列幅、書式は自由に設定してよい。

シート見出しはマクロでのワークシート選択操作に重要なので必ずつける。

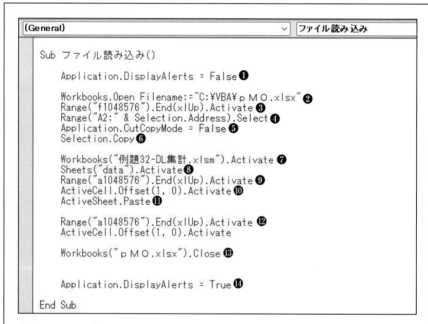

| | A | B | C | D | E | F |
|---|---|---|---|---|---|---|
| 1 | DL音源売上データ | | | | | |
| 2 | | | | | | |
| 3 | 月 | 週 | 配信元 | タイトル | アーティスト | DL数 |
| 4 | | | | | | |
| 5 | | | | | | |
| 6 | | | | | | |
| 7 | | | | | | |
| 8 | | | | | | |
| 9 | | | | | | |
| 10 | | | | | | |
| 11 | | | | | | |
| 12 | | | | | | |

# 2 マクロを記述

① VBE を起動する。

② [挿入 (I)]−[標準モジュール (M)] で標準モジュールシートを追加し、マクロ名「ファイル読み込み」として次のようなマクロを記述する。まずはファイル「pMO」分のみ作成する。

```
(General)                                        ファイル読み込み

Sub ファイル読み込み()

    Application.DisplayAlerts = False❶

    Workbooks.Open Filename:="C:¥VBA¥pMO.xlsx"❷
    Range("f1048576").End(xlUp).Activate❸
    Range("A2:" & Selection.Address).Select❹
    Application.CutCopyMode = False❺
    Selection.Copy❻

    Workbooks("例題32-DL集計.xlsm").Activate❼
    Sheets("data").Activate❽
    Range("a1048576").End(xlUp).Activate❾
    ActiveCell.Offset(1, 0).Activate❿
    ActiveSheet.Paste⓫

    Range("a1048576").End(xlUp).Activate⓬
    ActiveCell.Offset(1, 0).Activate

    Workbooks("pMO.xlsx").Close⓭

    Application.DisplayAlerts = True⓮

End Sub
```

❶削除時やコピー時に問われる確認メッセージを表示させないようにする

❷コピーするデータのあるブックを開く

❸コピーするデータ範囲の終点セル位置を探し、選択する（始点は A2 固定とする）

❹❸のセル位置を取得し、コピーするデータ範囲を選択する

❺切り取り、コピーモードを解除し、点滅している枠線を取り除く（万が一、

切り取り、コピーモードが入っている場合を考えてのリセット操作である）

❻コピーする

❼コピー先のブックに切り替える

❽ワークシート「data」を選択する

❾「コピー先のセル（空セル）を見つけるため、まず、A列の中から入力済み
　セルの最終行に位置するセルを探す

❿❾で見つけたセルを基準にして1行下のセルを選択する（ここが貼り付け
　先の開始位置となる）

⓫貼り付ける

⓬次の貼り付け開始位置を検索、選択しておく（選択することによって、貼り
　付け直後の選択状態が解除される）

⓭ブックを閉じる

⓮削除時やコピー時に問われる確認メッセージを表示させるように標準の状態
　にもどしておく（もどしておかないと、通常の手作業時にも確認メッセージ
　が表示されなくなる）

---

## マクロ作成のポイント

**ファイル名**
拡張子まで指定すること。
フルパスで指定すること。

### 1. ブックファイルを開く

```
Workbooks.Open FileName:=" ファイル名 "
```

### 2. ブックファイルを閉じる

```
Workbooks(" ファイル名 ").Close
```

### 3. アクティブなウィンドウを閉じる

```
ActiveWindow.Close
```

### 4. ブックを切り替える

```
Workbooks(" ファイル名 ").Activate
```

### 5. ワークシートを切り替える

```
Worksheets(" シート名 ").Activate    または
Sheets(" シート名 ").Activate
```

### 6. セル範囲を選択する

```
Range(" ○ : ○ ").Activate    または
Range(" ○ : ○ ").Select
```

### 7. あるセルを基準にして他のセルを選択する

```
ActiveCell.Offset( 相対行数 , 相対列数 ).Activate
```

### 8. セルのアドレスを取得する

```
Selection.Address
```

### 9. 選択中のセル範囲をコピーする

```
Selection.Copy
```

### 10. アクティブなシートにセル範囲を貼り付ける

```
ActiveSheet.Paste
```

# 3 マクロを保存・実行

①［ファイル（F）］－［上書き保存（S）］をクリックする。

② Excel ワークシートに切り替える。

③リボンから［開発］タブ－＜コード＞－［マクロ］もしくは、リボンから［表示］タブ－＜マクロ＞－［マクロの表示］をクリックする。

④「ファイル読み込み」をクリックする。

⑤ 実行（R) をクリックする。

---

 **マクロの実行**

　マクロは VBE から実行してもよいが、今回はワークシートから実行した方がマクロの動いているようすを見ることができる。

　VBE から実行する場合は下記の手順となる。

①実行したいモジュール内をクリックする。

②［サブ／ユーザーフォームの実行］→ ［sub ／ユーザーフォームの実行］をクリックする。

③ Excel ワークシートに切り替える。

④結果を確認する。

---

 **データベースの構造**

　今回の「data」シートのようにワークシートに蓄積されたデータを「データベース」といい、次の用語を使用する。

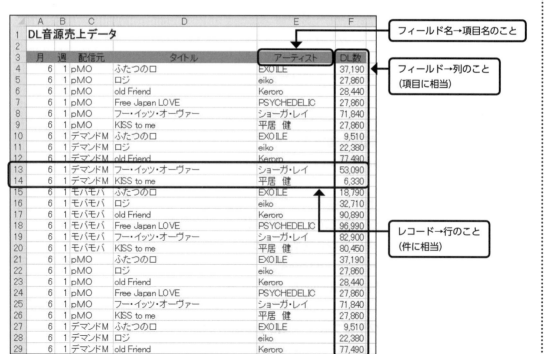

特に次の規則にもとづいて蓄積されたデータベースを Excel「リスト」という。
・必ずフィールド名があること
・データベース中に空白のレコードがないこと
・各フィールドにはそれぞれ同種のデータが入力されていること（たとえば「月」の列に「配信元」
　など違う種類のデータを入力してはいけない）
・1件のデータは1レコードにまとめて入力すること
・1枚のワークシートに作成できる「リスト」は1つだけである。
「リスト」では次のような Excel の「データベース機能」が使用できる。
・フィルタ
・集計
・ピボットテーブルとピボットグラフなど

**練習51**　　　　「pMO」が完成したら、残りの「デマンドM」「モバモバ」分の読み込みマクロを追加してみよう。

**<ヒント>**

完成している「pMO」分の❷～❸部分をコピーし、ブック名部分を修正すればよい。また、「pMO」分の⓬で次の貼り付け位置が選択されているので、他のブックの場合は❾、❿が省略できる。（省略しなくとも実行に影響はないが、同じことを2回実行することになり無駄である）

**デマンドMマクロ例**

| (General) | | ∨ | ファイル読み込み |
|---|---|---|---|

```
Sub ファイル読み込み()

    Application.DisplayAlerts = False

    Workbooks.Open Filename:="C:¥VBA¥pMO.xlsx"
    Range("f1048576").End(xlUp).Activate
    Range("A2:" & Selection.Address).Select
    Application.CutCopyMode = False
    Selection.Copy

    Workbooks("例題32-DL集計.xlsm").Activate
    Sheets("data").Activate
    Range("a1048576").End(xlUp).Activate
    ActiveCell.Offset(1, 0).Activate
    ActiveSheet.Paste

    Range("a1048576").End(xlUp).Activate
    ActiveCell.Offset(1, 0).Activate

    Workbooks("pMO.xlsx").Close

    Workbooks.Open Filename:="C:¥VBA¥デマンドM.xlsx"
    Range("f1048576").End(xlUp).Activate
    Range("A2:" & Selection.Address).Select
    Application.CutCopyMode = False
    Selection.Copy

    Workbooks("例題32-DL集計M.xlsm").Activate
    Sheets("data").Activate
    ActiveSheet.Paste
    Range("a1048576").End(xlUp).Activate
    ActiveCell.Offset(1, 0).Activate

    Workbooks("デマンドM.xlsx").Close

    Application.DisplayAlerts = True

End Sub
```

# 3 入力フォームの作成

ユーザーフォームに入力されたデータをワークシートに取り込む方法を学習する。また、使用しやすい入力フォーム作成のポイントも学習する。

## 今回作成するマクロ

例題 32 のワークシート「data」に入力するための、ユーザーフォームを作成する。
OK が押されたら、データベースの最終行にデータを転記するマクロを作成する。
続けてデータ入力が行えるように 閉じる が押されるまでフォームを表示し続ける。

**（ファイル名「例題 33－DL 集計」）**

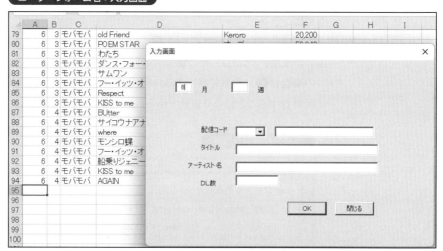

ユーザーフォーム名：入力画面

## 1 配信元のシートを作成（コンボボックスに表示するリストの準備）

**範囲に名前を付ける**
①範囲を選択
②リボンから［数式］タブ－＜定義された名前＞－［名前の定義］

①新規作成したワークシートに次ページの項目名だけを入力する。

②シート見出し「配信元」を入力する。

③ファイル名「例題 33－DL 集計」で保存する。

| | A | B | C |
|---|---|---|---|
| 1 | 配信コード | 配信名 | |
| 2 | 1 | pMO | |
| 3 | 2 | デマンドM | |
| 4 | 3 | モバモバ | |
| 5 | | | |

## 2 ユーザーフォームを作成

① VBE を起動させる。

②［挿入 (I)］－［ユーザーフォーム (U)］で新規ユーザーフォームを準備する。

③フォーム上に上記のようなコントロールを配置する。

④各コントロールのプロパティを設定する。

| コントロール | プロパティ | 値 |
| --- | --- | --- |
| UserForm1 | ( オブジェクト名 ) | 入力画面 |
| | Caption | 入力画面 |
| Label1 | Caption | 月 |
| Label2 | Caption | 週 |
| Label3 | Caption | 配信コード |
| Label4 | Caption | タイトル |
| Label5 | Caption | アーティスト |
| Label6 | Caption | DL 数 |
| TextBox1 | ( オブジェクト名 ) | 月 |
| | TabIndex | 0 |
| TextBox2 | ( オブジェクト名 ) | 週 |
| | TabIndex | 1 |
| TextBox3 | ( オブジェクト名 ) | 配信名 |
| | Locked | True |
| | TabStop | False |
| TextBox4 | ( オブジェクト名 ) | タイトル |
| | IMEMode | 1-fmIMEModeOn |
| | TabIndex | 3 |
| TextBox5 | ( オブジェクト名 ) | アーティスト名 |
| | IMEMode | 1-fmIMEModeOn |
| | TabIndex | 4 |
| TextBox6 | ( オブジェクト名 ) | DL 数 |
| | TabIndex | 5 |
| ComboBox1 | ( オブジェクト名 ) | 配信コード |
| | ColumnCount | 2 |
| | ColumnWidths | 20pt;40pt |
| | ListWidths | 60pt |
| | MatchRequired | True |
| | RowSource | 配信元 |
| | TabIndex | 2 |
| CommandButton1 | ( オブジェクト名 ) | CmdOK |
| | Caption | OK |
| | Default | True |
| | TabIndex | 6 |
| CommandButton2 | ( オブジェクト名 ) | Cmd 閉じる |
| | Caption | 閉じる |
| | Default | False |
| | TabIndex | 7 |

6章

便利なレイアウトの調整方法
①整列させたいコントロールを選択
②［書式 (O)］−［整列 (A)］から合わせたい箇所をクリックする

⑤ラベル表示内容がはみ出していないかなどレイアウトの調整をする。

ダイアログが正しく表示されるか、[sub／ユーザーフォームの実行] で仮実行し、次のことを確認する。

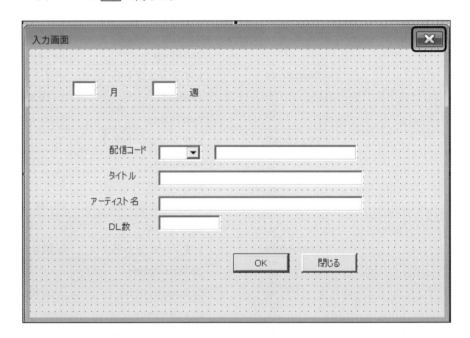

・フォーカスは入力しやすい順に移動するか（TabIndex の順に移動する）
・コンボボックスのリストに配信名が表示されるか
・「タイトル」「アーティスト名」にフォーカスが移動したとき、日本語入力機能が自動的に ON になるか（IMEMode）
・「配信名」は表示のみさせるところなので、入力不可になっているか

コマンドボタン 閉じる には、マクロがまだ入力されていないので使用できない。タイトルバーの ✕ で閉じる。

# 3 イベントプロシージャを作成

ユーザーフォームにコントロールを配置しただけでは、フォームを表示させてコマンドボタンなどをクリックしても何も動かない。コマンドボタンがクリックされたときに何をするのか、というマクロが記述されていないからである。フォーム上のコントロールに機能を割り当てるには、そのコントロールに発生するイベント（タイミング）に対するマクロ（イベントプロシージャ）を記述する。

例えば、コマンドボタンがクリックされたときに、ある処理を実行したいのであれば、「Click」というイベントに対して実行したいマクロを記述するという具合である。ユーザーフォームはイベントプロシージャを記述して初めてダイアログとして機能するようになる。

### ⑴閉じるボタンクリック時の処理

①ユーザーフォーム「入力画面」を選択。

②コードウィンドウを開く。

③オブジェクトボックスから「Cmd 閉じる」、プロシージャボックスから「Click」
を選択する。

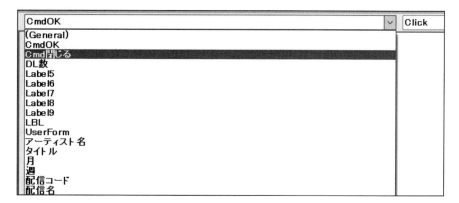

④マクロを記述する。

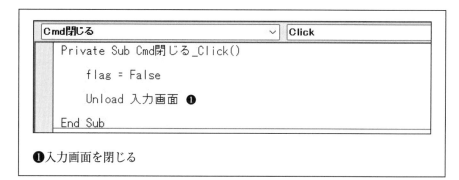

●入力画面を閉じる

---

### マクロ作成のポイント

#### 1. フォームを閉じる

Unload ″フォーム名″

<例> Unload ″入力画面″

⑤ユーザーフォーム「入力画面」を選択し、フォーム実行後、コマンドボタン
の 閉じる ボタンでフォームが閉じるか確認する。

## ⑵ダイアログボックス表示時に当日の月をテキストボックスに表示する処理

最初にダイアログボックスが開いたときにダイアログボックスに月を表示させる処理を作成する。

① UserForm オブジェクトの Initialize イベントに対して記述する。

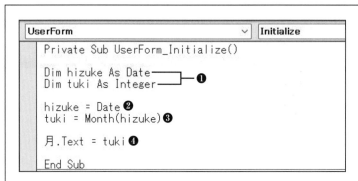

❶変数の宣言

❷日付型変数に本日の日付を取り込む

❸整数型変数に日付の月の数値のみ取り込む

❹❸で取り込んだ月の数値を「月」コントロールに代入する

---

　マクロ作成のポイント

**1. 現在の日付を知る関数**

　　`Date`

**2. 日付から月のデータのみ取り出す関数**

　　`Month( 日付データ )`

**3. テキストボックスにデータを入れる（テキストプロパティ）**

　　**オブジェクト名** `.Text=` **データ**

### Initialize イベント

　オブジェクトが表示される直前に発生するイベント。

　ここで記述された内容を実行した後にオブジェクトが開かれる。

### Date 関数

　VBA の Date 関数は、現在の日付を知る関数でワークシート関数の Today 関数に相当する。なお、Month 関数は、VBA とワークシートともに、シリアル値を月に変換する関数である。

②ユーザーフォーム「入力画面」を選択し、フォーム実行後、「月」が表示されるか確認する。

### ⑶コンボボックス操作時の処理

コンボボックスから配信コードを選択した際に、テキストボックスに配信名を表示させる処理を作成する。

①配信コードオブジェクトの `AfterUpdate` イベントに対して記述する。

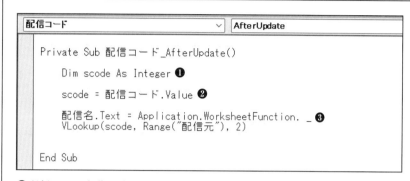

```
配信コード                          ∨  AfterUpdate

    Private Sub 配信コード_AfterUpdate()

        Dim scode As Integer ❶

        scode = 配信コード.Value ❷

        配信名.Text = Application.WorksheetFunction. _ ❸
        VLookup(scode, Range("配信元"), 2)

    End Sub
```

❶配信コードを代入する変数の宣言

❷変数に「配信コード」コントロールの値を代入する

❸ VLookup 関数を使用して、配信コードに対応する配信名を検索し、「配信名」コントロールに代入する

---

### マクロ作成のポイント

**1. コンボボックスで選択された値を知る（`Value` プロパティ）**

**オブジェクト名** `.Value`

> <例>　支店コード `.Value = 1`

**2. マクロで Excel ワークシート関数を利用する**
**（ここでは `VLookup` 関数を使用している）**

`Application.WorksheetFunction.` 関数

**参考**

### AfterUpdate イベント

オブジェクトの内容が更新された直後に発生するイベント。入力後に `TAB` キー、または他のコントロールを選択したときに発生する。なお、`Change` イベントは 1 文字でも入力された直後に発生するイベントである。

②ユーザーフォーム「入力両面」を選択し、フォーム実行後、コンボボックスから選択されたコードに相当する「配信名」が表示されるか確認する。

### ⑷ OK ボタンクリック時の処理

　OK ボタンがクリックされたときに、ダイアログボックスに入力されたデータをワークシートに転記する処理を作成する。

① CmdOK オブジェクトの Click イベントに対して記述する。

```
CmdOK                              ∨   Click

    Private Sub CmdOK_Click()

    ActiveCell.Value = 月.Value ❶
    ActiveCell.Offset(0, 1).Activate ❷
    ActiveCell.Value = 週.Value
    ActiveCell.Offset(0, 1).Activate
    ActiveCell.Value = 配信名.Value
    ActiveCell.Offset(0, 1).Activate
    ActiveCell.Value = タイトル.Value
    ActiveCell.Offset(0, 1).Activate
    ActiveCell.Value = アーティスト名.Value
    ActiveCell.Offset(0, 1).Activate
    ActiveCell.Value = DL数.Value
    ActiveCell.Offset(1, -5).Activate ❸

    Unload 入力画面 ❹

    End Sub
```

❶セルに「月」コントロールの内容を入力する

❷❶のセルから見て、右隣のセルをアクティブにする（「週」入力セル）

❸次の新データの入力用に、1行下の「月」入力セルをアクティブにしておく

❹フォームを閉じる

---

### マクロ作成のポイント

**1. セルに値を入力する（Value プロパティ）**

　セル .Value = 値

**2. フォームを閉じる**

　Unload フォーム名

---

参考

### セルの表現の仕方

・ActiveCell

・Cells（行番号，列番号）

・Range（A1 参照形式のセル範囲）

などが、Value プロパティを使用できる。

②ユーザーフォーム「入力画面」を選択し、フォーム実行後、データを入力し OK ボタンで、ワークシートにデータが転記されるか確認する。なお、まだ、転記先の空セルを自動的に判断するマクロは作成されていないので、フォームを表示する前に、ワークシート「data」の転記先セルを手動で選択しておくこと。特に選択しない場合は、アクティブになっているセルからの範囲に転記される。

### ⑸**ダイアログボックスの制御**

　[OK]ボタンをクリックすると、次のデータ入力用に白紙のフォームを開くべく、いったん閉じている。また、ワークシートの転記先となる空セルは自動的に判断できていない。これらの処理を行うマクロを作成する。今回のマクロはフォーム内だけの行動範囲ではないので、標準モジュールとして作成する。

① ［挿入（I）］－［標準モジュール（M）］で標準モジュールシートを追加する。

②新しく開いた標準モジュールウィンドウのオブジェクトボックスが（General）、プロシージャ・ボックスが（Declarations）であることを確認する。

③次のように、フォーム、標準モジュール間で共通で使用する変数を記述する。

Declarations
宣言セクションのこと

❶変数はすべて宣言してから使用します、という宣言

❷すべてのモジュールで参照できる変数 flag をブール型で宣言

④変数宣言の下に「Sub」からのモジュールを記述する。モジュール名は自由に設定できる。ここでは、「データ入力」とする。

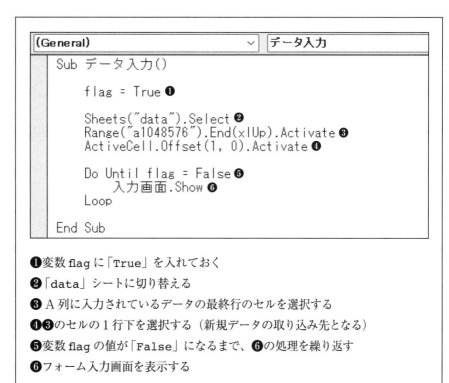

❶変数 flag に「True」を入れておく

❷「data」シートに切り替える

❸A列に入力されているデータの最終行のセルを選択する

❹❸のセルの1行下を選択する（新規データの取り込み先となる）

❺変数 flag の値が「False」になるまで、❻の処理を繰り返す

❻フォーム入力画面を表示する

---

**マクロ作成のポイント**

### 1. セルに値を入力する（`Value` プロパティ）
#### プロシージャ名（引数 1, 引数 2…）

引数は省略できる。かっこ（）は引数がなくとも必要。

### 2. 変数はすべて宣言して使用するという宣言
#### `Option Explicit`

この宣言をすると、宣言していない変数を使用した場合、コンパイルまたは実行時にエラーが出る。それによって、変数の管理がしやすくなる。

### 3. すべてのモジュール共通で使用する変数の宣言
#### `Public` 変数名 `As` 変数型

どこで宣言してもよいが、通常は Declarations セクションで宣言する。また、変数の管理面を考えると、特定の 1 つのモジュールに Public 変数宣言をまとめるのが望ましい。

### 4. フォームを表示する
#### フォーム名 `.Show`

### 5. flag という変数

ブール型の変数は「`True`」と「`False`」しか代入できない型である。「`False`」を代入するのは「入力画面」フォームの 閉じる ボタンをクリックされたときとなる。（P.161 の④で設定。）すなわち 閉じる ボタンがクリックされたかどうかを判断するために設けた変数である。今回、把握したい状況は、閉じる ボタンがクリックされたか、されていないかいずれかなので、2 値だけ代入できるブール型を使用したが、バイト型、整数型などでもよい。ただし、代入する値とその値の意味をしっかり取り決めしておく必要がある。

・・・・・・・・・・・・・・・・・・・・・・・・・・・・・・・・・・・・・・・・・・・・・・・・・・・・・・・・・・・・・・・・・・・・・・・・・・・・・・・・・・・・・・・

⑤「データ入力」プロシージャ内をクリックし、[sub ／ユーザーフォームの実行] でダイアログボックスの動作を確認してみる。

# 4 ピボットテーブルを利用した集計

例題 34

集計分析に最適なデータベース機能の1つである「ピボットテーブル」をマクロで作成してみる。また、ワークシートの削除も学習する。

## 今回作成するマクロ

例題 33 のワークシート「data」に溜められたデータを、支店ごと、週ごと、タイトルごとに売上枚数の合計を集計する。ピボットテーブル機能を使用するが、データが追加された場合は、ピボットテーブルの更新だけでは、集計対象範囲は更新されないので、ピボットテーブルシートを削除し新たに作成しなおす。

**(ファイル名「例題 34−DL 集計」)**
**(ピボットテーブルシート名：集計結果)**
**(マクロ名：集計)**

## 1 ピボットテーブルの作成

①ワークシート「data」のリスト内部をクリックする。

②リボンから **[挿入] タブ−＜テーブル＞−[ピボットテーブル]−[テーブルまたは範囲から (T)]** をクリックする。

③ OK をクリックする。

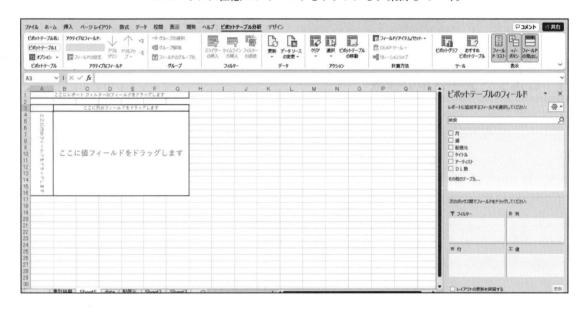

④ピボットテーブル作成用のシートが追加になる。

シート左側にある領域を「ピボットテーブルレポートのレイアウトエリア」、シート右側上は「ピボットテーブルのフィールドリスト」という。

また、「ピボットテーブルのフィールドリスト」の下部には4つのボックスがあり、それぞれ「レポートフィルタ」エリア、「行ラベル」エリア、「列ラベル」エリア、「値」エリアという。

このエリアに任意のフィールドをドラッグし、集計していく。

**エリアに配置した
「フィールド」の削除**
「フィールドリスト」
のチェックボックスを
オフにする。
または、配置したエリ
アの外部に「フィール
ド」をドラッグする。

⑤「ピボットテーブルのフィールドリスト」の「タイトル」フィールドをポイントして、
「行ラベル」エリアにドラッグする。配置された「フィールドリスト」のチェックボッ
クスがオンになる。

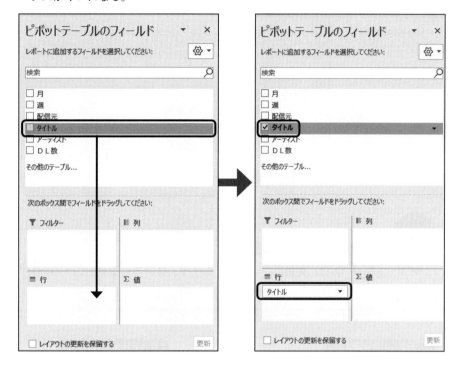

⑥「値」エリアに「DL数」フィールドをドラッグする。「レポートフィルタ」エリア
に「週」フィールドと「配信元」フィールドをドラッグする。

⑦ピボットテーブルが作成される。

⑧シート見出しを「集計結果」にする。

**ピボットテーブルシートの削除**

テーブルの部分だけの削除は行えない。
シート単位で削除する。

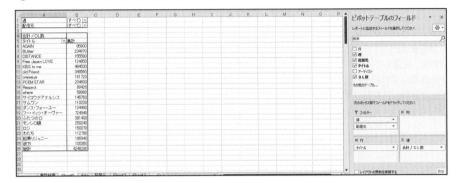

---

参考　**ピボットテーブルの操作**

　ピボットテーブルは、集計において計算方法や、集計項目などをマウス操作で簡単に設定できる機能である。また、集計方法の修正や、集計結果の抽出も行えることから、データの分析にも用いられる。

　今回の集計結果に対しては、次のような操作が行える。

「配信先」を指定する

タイトルを並べ替える

## 2 マクロを記述

① VBE を起動させる。
②[挿入 (I)]-[標準モジュール (M)] でマクロ名「集計」として次のようにマクロを記述する。

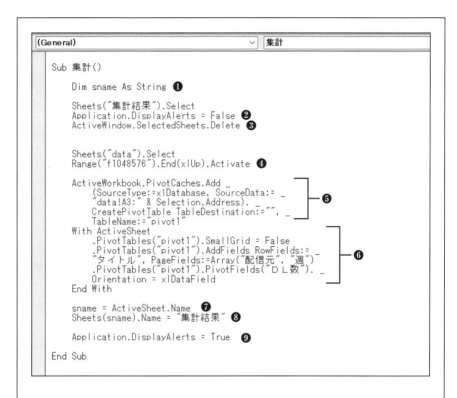

```
(General)                                    ∨  集計

Sub 集計()

    Dim sname As String ❶

    Sheets("集計結果").Select
    Application.DisplayAlerts = False ❷
    ActiveWindow.SelectedSheets.Delete ❸


    Sheets("data").Select
    Range("f1048576").End(xlUp).Activate ❹

    ActiveWorkbook.PivotCaches.Add _
        (SourceType:=xlDatabase, SourceData:= _
        "data!A3:" & Selection.Address). _        ❺
        CreatePivotTable TableDestination:="", _
        TableName:="pivot1"
    With ActiveSheet
        .PivotTables("pivot1").SmallGrid = False
        .PivotTables("pivot1").AddFields RowFields:= _
        "タイトル", PageFields:=Array("配信元", "週")    ❻
        .PivotTables("pivot1").PivotFields("ＤＬ数"). _
        Orientation = xlDataField
    End With

    sname = ActiveSheet.Name ❼
    Sheets(sname).Name = "集計結果" ❽

    Application.DisplayAlerts = True ❾

End Sub
```

❶シート名を格納しておくための変数の宣言
❷削除などをする場合に Excel が開いてくる確認メッセージを表示させない
❸作成済みの「集計結果」シートを削除する
❹リスト範囲の取得
❺ピボットテーブルの新規作成命令 （1 ピボットテーブルの作成の①～④に相当する）
❻ピボットテーブルのレイアウトの設定 （1 ピボットテーブルの作成の⑤～⑥に相当する）
❼新規作成されたピボットテーブルのあるワークシートの名前を取得
❽❼のシート名を「集計結果」に変更
❾削除などをする場合に Excel が聞いてくる確認メッセージを表示させる（標準の状態にもどす）

6
章

### 1. 削除などの確認メッセージを表示させないようにする

```
Application.DisplayAlerts=False
```

### 2. 削除などの確認メッセージを表示させる

```
Application.DisplayAlerts=True
```

### 3. シートを削除する

```
ActiveWindow.SelectedSheets.Delete
```

### 4. シート名の取得

```
ActiveSheet.Name
Sheets("シート名").Name
```

### 5. ピボットテーブルの作成

```
ActiveWorkbook.PivotCaches.Add(<SourceType>, <SourceData>)
CreatePivotTable<TableDestination>,<TableName>
```

　　<SourceType> 集計もとのデータの種類

　　<SourceData> リストの範囲

　　<TableDestination> ピボットテーブルの作成先（省略時は A1 となる）

　　<TableName> 作成するピボットテーブル名（省略可）

### 6. ピボットテーブルのレイアウト設定

```
ActiveSheet.PivotTables(<TableName>).SmallGrid=False または
True
```

　　<TableName> 作成するピボットテーブル名（省略可）

　　SmallGrid レポート書式にグリッド線を使用する（True）か、しない
　　（False）か（特にレポート書式を指定しない場合は、いずれを指定しても
　　結果は同じ）

```
ActiveSheet.PivotTables(<TableName>).AddFields<RowFields>
<ColumnsFields><PageFields>
```

　　<TableName> 作成するピボットテーブル名（省略可）

　　<RowFields> 行エリアに設けるフィールド名を指定する

　　<ColumnsFields> 列エリアに設けるフィールド名を指定する

　　<PageFields> ページエリアに設けるフィールド名を指定する

```
ActiveSheet.PivotTables(<TableName>).PivotFields(<Name>).
Orientation=xlDataField
```

　　<TableName> 作成するピボットテーブル名（省略可）

　　<Name> データエリアに設けるフィールド名を指定する

　　.Orientation=xlDataField<Name> を配置するエリアがデータエリア
　　であるということ

.........................................................................

③「集計」モジュール内をクリックし、[Sub ／ユーザーフォームの実行] でピボッ
トが作成されていることを確認してみる。（実行後 Excel に切り替えて確認するこ
と。）

次のようなピボットテーブルを作成するマクロ「集計 2」を作成してみよう。その際ピボットテーブル名は「pivot2」、シート見出しは「集計結果 2」とすること。

| | A | B | C | D | E | F |
|---|---|---|---|---|---|---|
| 1 | 配信元 | (すべて) ▾ | | | | |
| 2 | | | | | | |
| 3 | 合計 / DL数 | 週 ▾ | | | | |
| 4 | タイトル ▾ | 1 | 2 | 3 | 4 | 総計 |
| 5 | AGAIN | | | | 85900 | 85900 |
| 6 | BUtter | | | | 234970 | 234970 |
| 7 | DISTANCE | | 155580 | | | 155580 |
| 8 | Free Japan LOVE | 124850 | | | | 124850 |
| 9 | KISS to me | 114640 | 122670 | 111450 | 135770 | 484530 |
| 10 | old Friend | 196820 | | 151740 | | 348560 |
| 11 | oneways | | 161720 | | | 161720 |
| 12 | POEM STAR | | | 204600 | | 204600 |
| 13 | Respect | | | 89420 | | 89420 |
| 14 | where | | | | 58980 | 58980 |
| 15 | サイコウナアナルシス | | | | 145760 | 145760 |
| 16 | サムワン | | | 110200 | | 110200 |
| 17 | ダンス・フォー・ユー | | | 124490 | | 124490 |
| 18 | フー・イッツ・オーヴァー | 207830 | 118320 | 174800 | 223990 | 724940 |
| 19 | ふたつの口 | 65490 | 104180 | 211730 | | 381400 |
| 20 | モンシロ蝶 | | 83140 | | 167100 | 250240 |
| 21 | ロジ | 82950 | 67120 | | | 150070 |
| 22 | わたち | | | 112780 | | 112780 |
| 23 | 船乗りジェニー | | | | 196940 | 196940 |
| 24 | 彼方 | | 100360 | | | 100360 |
| 25 | 総計 | 792580 | 913090 | 1291210 | 1249410 | 4246290 |

### <ヒント>

まずは、手作業で作成し、各エリアにどのフィールドを設置すべきかを確定する。
マクロは「集計 1」を複写して、違う部分のみ修正して完成させる。

解答例

```
(General)                                       集計2

Sub 集計2()

    Dim sname As String

    Sheets("集計結果 2").Select
    Application.DisplayAlerts = False
    ActiveWindow.SelectedSheets.Delete

    Sheets("data").Select
    Range("f1048576").End(xlUp).Activate

    ActiveWorkbook.PivotCaches.Add _
        (SourceType:=xlDatabase, SourceData:= _
        "data!A3:" & Selection.Address). _
        CreatePivotTable TableDestination:="", _
        TableName:="pivot2"
    With ActiveSheet
        .PivotTables("pivot2").AddFields RowFields:= _
        "タイトル", ColumnFields:="週", PageFields:="配信元"
        .PivotTables("pivot2").PivotFields("DL数"). _
        Orientation = xlDataField
    End With

    sname = ActiveSheet.Name
    Sheets(sname).Name = "集計結果 2"

    Application.DisplayAlerts = True

End Sub
```

# 5 印刷フォームの作成

印刷対象のシートを選択できるためのダイアログボックスを作成、制御する方法を学習する。

## 今回作成するマクロ

ワークシート「data」または、「集計結果」が選択できるユーザーフォームを作成する。そこで選択されたシートを印刷プレビューするマクロを作成する。

**(ファイル名「例題 35-DL 集計」)**

**(ユーザーフォーム名：印刷画面)**

**(マクロ名：印刷)**

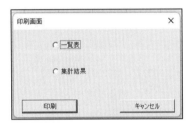

| 作成場所 | マクロ名 | 処理内容 |
|---|---|---|
| 印刷画面フォーム | (Declaration) | 変数の宣言 |
| | **一覧表** _Click () | 共通変数に１を代入する |
| | **集計結果** _Click () | 共通変数に２を代入する |
| | **印刷** _Click () | 選択されたシートをプレビューする |
| | **キャンセル** _Click () | 印刷画面を閉じる |
| 標準モジュール | **印刷** () | 印刷画面フォームを開く |

## 1 ユーザーフォームを作成

① VBE を起動させる。

②**[挿入 (I)]−[ユーザーフォーム (U)]** で新規ユーザーフォームを準備する。

③ユーザーフォーム上にコントロールを配置する。最初におおまかに配置し、あとから大きさや位置を調整するようにする。

④各コントロールのプロパティを設定する。

| コントロール名 | プロパティ名 | 値 |
|---|---|---|
| UserForm1 | (オブジェクト名) | 印刷画面 |
| | Caption | 印刷画面 |
| OptionButton1 | (オブジェクト名) | 一覧表 |
| | Caption | 一覧表 |
| | Group | 種類 |
| OptionButton2 | (オブジェクト名) | 集計結果 |
| | Caption | 集計結果 |
| | Group | 種類 |

| コントロール名 | プロパティ名 | 値 |
|---|---|---|
| CommandButton1 | （オブジェクト名） | 印刷 |
| | Caption | 印刷 |
| | Default | True |
| CommandButton2 | （オブジェクト名） | キャンセル |
| | Caption | キャンセル |
| | Default | False |

⑤表示内容がはみ出していないかなどレイアウトの調整をする。

⑥ダイアログボックスが正しく表示されるか、**[Sub ／ユーザーフォームの実行]** で仮実行してみる。

⑦コマンドボタンの キャンセル ボタンには、マクロがまだ入力されていないので使用できない。タイトルバーの ☒ で閉じる。

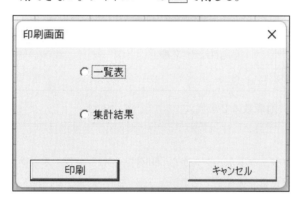

## 2　選択されたシートを印刷プレビューするマクロを作成

どのオプションボタンが押されたかを判断するために使用する変数を準備し、「一覧表」がクリックされたら、この変数に数字の1を入れておき、「集計結果」がクリックされた場合は2を入れることにより判断する。

①ユーザーフォームのコードウィンドウを開く。

②オブジェクトボックス（General）、プロシージャボックス（Declarations）を選択し、マクロを記述する。

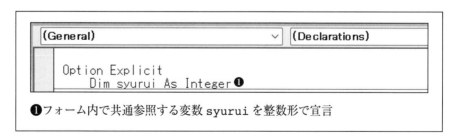

❶フォーム内で共通参照する変数 syurui を整数形で宣言

③オブジェクトボックスから「一覧表」、プロシージャボックスから「Click」を選択し、マクロを記述する。

❶共通変数に1を代入

④オブジェクトボックスから「集計結果」、プロシージャボックスから「Click」を選択し、マクロを記述する。

❶共通変数に2を代入

⑤オブジェクトボックスから「印刷」、プロシージャボックスから「Click」を選択し、マクロを記述する。

❶プレビュー画面にも印刷フォームが表示されてしまうので閉じる
❷プレビュー実行
❸データが変更されていても、最新の集計結果をプレビューできるように、「集計」モジュールを実行しておく

---

**マクロ作成のポイント**

---

### 1. 印刷プレビューする

```
ActiveSheet.PrintPreview
Sheets("シート名").PrintPreview
```

### 2. 印刷する

```
ActiveSheet.PrintOut
Sheets("シート名").PrintOut
```

### 3. フォーム内で共通参照する変数 syurui

　今回は選択種別が2種だけなのでブール型でもよいが、「選択されていない」という場合も考えると3種になるので整数型にした。バイト型、文字型でもよい。

‥‥‥‥‥‥‥‥‥‥‥‥‥‥‥‥‥‥‥‥‥‥‥‥‥‥‥‥‥‥‥‥‥‥‥‥‥‥‥‥‥‥‥‥

⑥オブジェクトボックスから「キャンセル」、プロシージャボックスから「Click」を選択し、マクロを記述する。

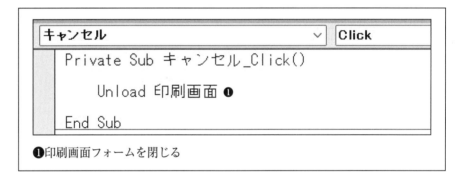

❶印刷画面フォームを閉じる

⑦ [挿入 (I)]－[標準モジュール (M)] をクリックし、次のようにマクロを記述する。

❶印刷画面フォームを開く

⑧「印刷」プロシージャ内をクリックし、**[Sub/ ユーザーフォームの実行]** で「印刷画面」が表示されることを確認する。また、「印刷画面」フォームの動きも確認する。

# 6 メニューの作成

例題 36 | 各処理を起動するためのメニューをワークシートに作成、制御する方法を学習する。

## 今回作成するマクロ

ワークシートに、マクロを登録した図形を配置しシステムメニューを作成する。
終了時には保存するかしないかの確認をしたのち、ファイルを閉じる。

**(ファイル名「例題36−DL集計」)**

**(マクロ名：終了)**

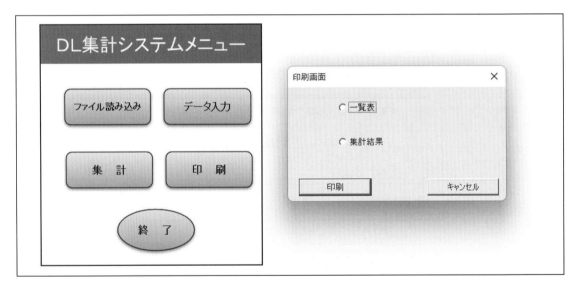

## 1 マクロを登録するオートシェイプを作成

①空白のシート（ない場合は追加しておく）のシート見出しに「メニュー」と入力する。

②セルB2にタイトル「DL集計システムメニュー」を入力する。書式を任意に設定する。

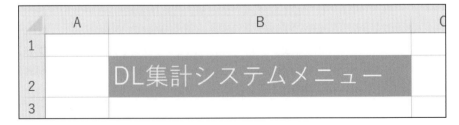

③リボンから［挿入］タブ−<図>−[図形]−[四角形：角を丸くする]でボタンに相当する四角形をドラッグで描き、右クリック「テキストの編集（X)」で、図形内に表示する文字「ファイル読み込み」と入力する。

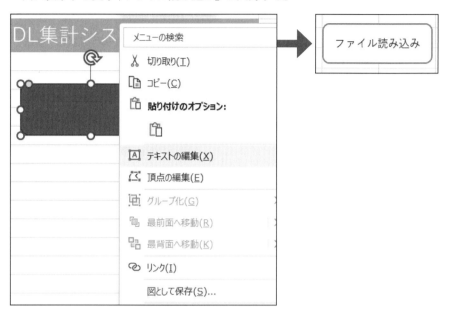

　必要であれば、任意の書式を設定する。

④同様に、下記のようにテキスト入りの図形を描く。枠線には、任意の範囲に「外枠太罫線」を利用。

⑤ワークシートを意識させないように、「数式バー」「目盛線」「見出し」を非表示にする。
　リボンから［表示］タブ−<表示／非表示>の各チェックボックスをオフにする。

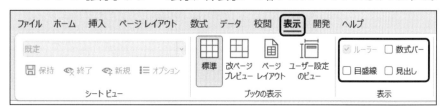

## 2 終了メッセージを表示し、ファイルを閉じるマクロを作成

① VBE に切り替える。

②[挿入（I）]−[標準モジュール（M）]をクリックし、マクロを記述する。

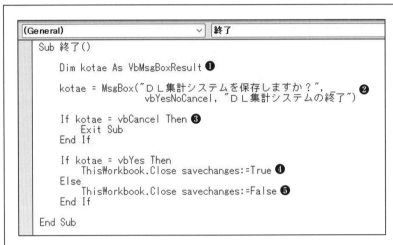

❶メッセージボックスでクリックされた値を格納する変数 kotae を宣言

❷ファイル保存の有無を問うメッセージボックスを表示

❸キャンセルの場合は、プロシージャを中断終了

❹保存して、ファイルを閉じる

❺保存せず、ファイルを閉じる

③上書き保存したあと、「終了」プロシージャ内をクリックし、[Sub/ ユーザーフォームの実行]でメッセージボックスが表示されることを確認する。また、YES、NO、キャンセルの各ボタンの動きも確認する。

### マクロ作成のポイント

#### 1. メッセージボックス結果用の変数宣言

　　As VbMsgBoxResult

　MsgBox 関数の戻り値（結果）は整数（long）であるが、通常の型宣言より意味がわかりやすくなる。

#### 2. メッセージボックスの表示

MsgBox(" メッセージ ", ボタンの種類 ," ウィンドウタイトル ")

　ボタンの種類には下記の定数が使用できる。値（整数値）でもよいが、定数のほうがプログラム内容がわかりやすくなる。

| 定数 | 値 | 内容 |
|---|---|---|
| vbOKOnly | 1 | [OK] ボタンのみを表示 |
| vbOKCancel | 2 | [OK] [キャンセル] ボタンを表示 |
| vbYesNoCancel | 3 | [Yes] [No] [キャンセル] ボタンを表示 |
| vbYesNo | 4 | [Yes] [No] ボタンを表示 |

### 3. ファイルを保存して閉じる

```
ThisWorkbook.Close savechanges:=True
```

### 4. ファイルを保存しないで閉じる

```
ThisWorkbook.Close savechanges:=False
```

## 3　オートシェイプにマクロを登録する

①四角形を右クリックし、「マクロの登録 (N)」をクリックする。

②マクロ「ファイル読み込み」をクリックし、OKをクリックする。

③同様に、残りの図形にマクロを登録する。上書き保存し、各ボタンの動きを確認する。

## 7 ブックを開くとき、閉じるときのマクロの自動実行

例題 37

　ブックを開くときに、または、閉じるときに、前処理、後処理としてマクロを自動実行させる方法を学習する。

## 今回作成するマクロ

　「DL 集計」ファイルで処理する内容は、メニューシートにまとめられた。メニューは、業務や Excel 操作が不慣れな人でも、やるべきことが明確になるメリットがある。
　そこで、自動的にメニューシートが表示されるマクロを作成する。また、誤操作などを防ぐために、リボンを非表示にし、メニューにある処理のみに操作を限定するようにもする。
　終了時は、Excel を終了させるマクロを作成する。
　いずれも、ブックを開くとき、閉じるときに自動実行するように作成する。

（ファイル名「例題 37−DL 集計」）

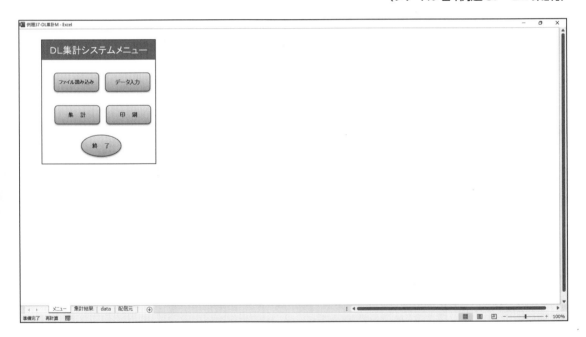

## 1　ブックを開いたときに処理が自動実行されるようにする

　ブックが開くときには「Workbook」というオブジェクトに対し「Open」というイベントが発生する。したがって、「Workbook」というオブジェクトの「Open」イベントに対してリボンを非表示にするマクロを入力すればよい。なお、「Workbook」オブジェクトに対するプロシージャは、プロジェクトエクスプローラの「ThisWorkbook」のコードウィンドウに入力する。

① P.181 の「例題 36」の VBE から、「ThisWorkbook」をダブルクリックする。
ThisWorkbook のコードウィンドウが開かれる。

②プロジェクトボックスから「Workbook」を選択し（Open イベントは Workbook
規定のイベントなので指定しなくともよい）マクロを記述する。

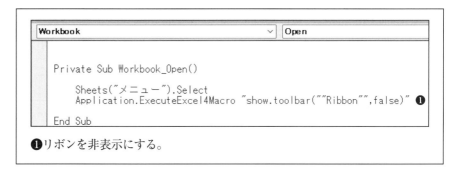

❶リボンを非表示にする。

---

<br>

マクロ作成のポイント

### 1. リボンを表示する
Application.ExecuteExcel4Macro "show.toolbar(""Ribbon"",true)"

### 2. リボンを非表示にする
Application.ExecuteExcel4Macro "show.toolbar(""Ribbon"",false)"

## 2 ブックを閉じるときに処理が自動実行されるようにする

ブックが閉じるときには「Workbook」というオブジェクトに対し「BeforeClose」
というイベントが発生する。開くときと同様「ThisWorkbook」のコードウィンドウ
に、Excel を終了させるマクロを入力する。
①「ThisWorkbook」のコードウィンドウを表示させる。
②プロジェクトボックスから「Workbook」、プロシージャボックスから
「BeforeClose」を選択し、マクロを記述する。

```
┌──────────────────────────────────────────────────────────────────────┐
│ Workbook                                    ∨ │ │ BeforeClose          │
├──────────────────────────────────────────────┴─┴──────────────────────┤
│   │ Private Sub Workbook_BeforeClose(Cancel As Boolean)                │
│   │      Application.Quit ❶                                            │
│   │                                                                     │
│   │ End Sub                                                            │
└──────────────────────────────────────────────────────────────────────┘
```
❶ Excel を終了する。

---

### マクロ作成のポイント

#### 1. Excel を終了する
```
Application.Quit
```
.........................................................................

③上書き保存し、ファイルを閉じ、あらためて開いて動きを確認する。

---

 **プレビュー画面のリボン**

　印刷処理ではプレビュー画面が表示される。実際に印刷するためにはプレビューリボンが必要である。
　そこで、下記のように、「印刷」ボタン「Click」イベントモジュールのプレビュー処理の前後に
リボンのオン・オフを入れるとよい。

```
┌──────────────────────────────────────────────────────────────────────┐
│ 印刷                                        ∨ │ │ Click                │
├──────────────────────────────────────────────┴─┴──────────────────────┤
│   │ Private Sub 印刷_Click()                                           │
│   │                                                                     │
│   │      Unload 印刷画面                                               │
│   │                                                                     │
│   │      Application.ExecuteExcel4Macro "show.toolbar(""Ribbon"",true)" ❶ │
│   │                                                                     │
│   │      Select Case syurui                                            │
│   │          Case Is = 1                                               │
│   │               Sheets("data").Select                               │
│   │               ActiveSheet.PrintPreview                             │
│   │                                                                     │
│   │          Case Is = 2                                               │
│   │               集計                                                 │
│   │               Sheets("集計結果").Select                           │
│   │               ActiveSheet.PrintPreview                             │
│   │                                                                     │
│   │      End Select                                                    │
│   │                                                                     │
│   │      Application.ExecuteExcel4Macro "show.toolbar(""Ribbon"",false)" ❷ │
│   │                                                                     │
│   │      Sheets("メニュー").Select                                     │
│   │                                                                     │
│   │ End Sub                                                            │
└──────────────────────────────────────────────────────────────────────┘
```
❶リボンを表示する
❷リボンを非表示にする

（ファイル名「**実習問題 14 －オーディション**」）

メニューシート

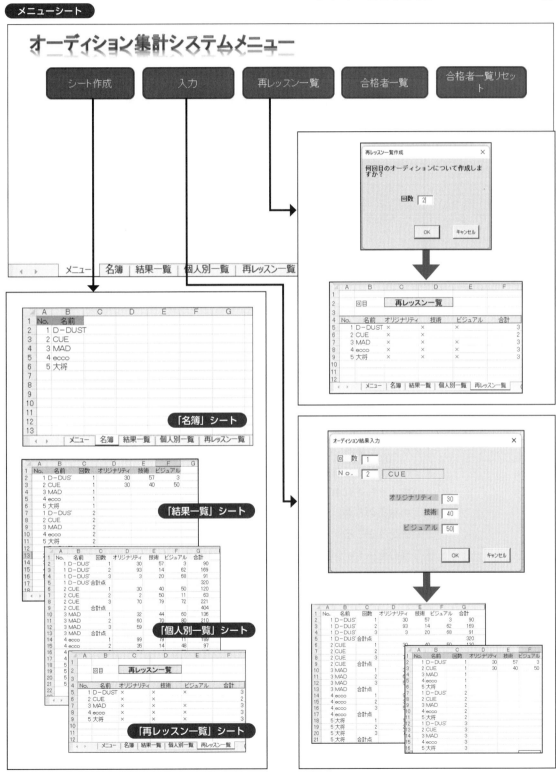

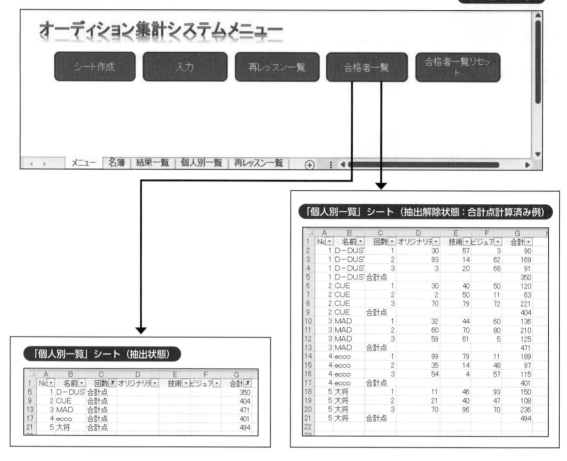

オーディション集計システムメニュー

シート作成　入力　再レッスン一覧　合格者一覧　合格者一覧リセット

メニュー　名簿　結果一覧　個人別一覧　再レッスン一覧

「個人別一覧」シート（抽出解除状態：合計点計算済み例）

「個人別一覧」シート（抽出状態）

　　　メジャーデビューを目指すバンドを対象に、とあるオーディションが開催されることになった。そのオーディションのしくみとは、次のとおりである。

①オリジナル楽曲で必ず3回のオーディションを受けること。

②オーディションの都度、「オリジナリティ」「技術」「ビジュアル」の3分野について、それぞれ100点満点の点数が審査員によってつけられる。

③②の結果のうち、50点未満の分野については、プロの講師陣による厳しいレッスンを受けること。

④3回のオーディションの点数の総合計が150点以上のバンドは、メジャーデビューの道が約束される。

　　　そこで、上記の管理をExcelで行うことになった。必要最低限の要望は、次のとおりである。

❶オーディション実施回数を指定することで、レッスン受講バンドとレッスン分野が一目でわかる一覧を作成したい。

❷メジャーデビュー決定バンド一覧を作成したい。

❸エントリー数はいくつでも登録できるようにしたい。

❹オーディション回数の3と、審査分野数の3は固定数とするが、できれば増えた場合でも簡単なマクロの修正ですむように開発してもらいたい。

　　　以上の要望を満たす次のような処理を作成してみよう。

### 1. シート作成処理

「名簿」シートに入力された「No.」「名前」を、他のワークシートに転記する。また、「結果一覧」シート、「個人別一覧」シートには「回数」も自動作成する。なお、「個人別一覧」シートには、合格者の抽出に必要な3回分の合計点を計算するための項目として「合計点」という文字も自動作成する。

### 2. 入力処理

「オーディション結果入力」フォームから「結果一覧」シート、および「個人別一覧」シートへ点数の入力修正を行う。「オーディション結果入力」フォームには次のような機能をもたせる。

①「No.」を入力後、名前を「名簿」シートから検索、表示する。

②すでに登録済みのデータがある場合は、「結果一覧」シートから該当する「回数」と「No.」の点数データを表示する。

③ OK ボタンのクリックで、入力された点数を「結果一覧」シートと「個人別一覧」シートのそれぞれ所定のセルに転記し、その後フォームは白紙にする。また、「個人別一覧」シートへの転記時には個人ごとの横合計を計算する。

④ キャンセル ボタンのクリックで閉じる。

### 3. 再レッスン一覧作成処理

指定された回数の「結果一覧」シートのデータを、「再レッスン一覧」シートに転記、表示する。その際、50点未満の点数は「×」印で表示し、再レッスンが必要な分野が一目でわかるようにする。なお、回数の指定は「再レッスン一覧作成」フォームから行う。よって、「再レッスン一覧作成」フォームには次のような機能をもたせる。

①オーディション回数を入力後 OK ボタンのクリックで、「再レッスン一覧」シートに、該当するオーディションの全バンドの結果を「結果一覧」シートから検索転記する。

その際、点数は、50点未満には「×」印を、50点以上には空白を表示する。

②「再レッスン一覧」シートの合計欄には「×」の個数を計算する。

③「再レッスン一覧」シートのA2には指定された回数を表示する。

④ キャンセル ボタンのクリックで閉じる。

### 4. 合格者一覧作成処理

「個人別一覧」シートからオーディション全3回の合計点が150点以上のデータを抽出する。具体的な処理は次のとおりである。

①「個人別一覧」シートに各バンドごとのオーディション全3回の合計点の総計を計算する。

②①に対して、「回数 =" 合計点 "」で、なおかつ「合計 >=150」の条件でオートフィルタを実行する。

### 5. 合格者一覧リセット処理

「個人別一覧」シートに対して、オートフィルタを解除する。

<ヒント>

## (1) 可変するデータ範囲の取得の仕方（1．シート作成処理）

　「名簿」シートには何件のデータが入力されるか特定できない。そのように可変するデータ範囲の取得の仕方は今までもやってきたが、別な方法もあげてみる。

　　　CurrentRegion プロパティ

```
<例>　名簿データの範囲を取得する
Dim meibo As Range
Worksheets(" 名簿 ").Select
Set meibo = Range("A1").CurrentRegion
```

　「名簿」シートのセル A1 を起点として空白行と空白行で囲まれたセル範囲（つまりリスト範囲となる）を取得し、meibo 変数にセットする。（今回の場合は、A1:B6 がセットされる。）

## (2) オートフィルタで条件を指定し抽出する（4．合格者一覧作成処理）

　　　Range(" テーブル名 ").AutoFilter field:= 条件項目列位置
　　　Criterial:=" 条件 "

```
<例>　「名前 = "ecco"」で抽出する。
Dim hani As Range
Set hani = Worksheets(" 個人別一覧 ").Range("A1")
CurrentRegion hani.AutoFilter field:= 2 Criterial:="ecco"
```

## (3) オートフィルタ状態を解除する（5．合格者一覧リセット）

```
ActiveSheet.AutoFilterMode = False
```

## (4) モジュール構成例

**ThisWorkbook**

```
Workbook_BeforeClose(Cancel As Boolean)
Workbook_Open()
```

**標準モジュール**　　　　　　　　　　　**フォームモジュール**

```
シート作成 ()
```

```
入力 ()
```
```
入力画面        NO_afterUpdate()
               ok_Click()
               キャンセル _Click()
```

```
再レッスン一覧作成 ()
```
```
再レッスン画面   ok_Click()
                キャンセル _Click()
```

```
合格者一覧作成 ()
```

```
合格者一覧リセット ()
```

```
Getconst()
　人数、分野数（=3）、回数（=3）の固定値を
共通変数に設定する共通モジュール。常に最新の
人数をカウントし、分野数、回数が増えた場合に、
このモジュールのみ変更で対応できる。人数、分
野数、回数を使用するモジュールで呼び出される。
```

# 付録

## 付録1　　VBEでの入力のポイント

## 1　日本語変換機能はオフを標準にしよう

オブジェクト名、変数名、プロシージャ名などの名称以外はすべて半角である。そこで、ワープロのように常時オンの状態でマクロを記述すると、誤って全角で命令や余計な空白を入力してしまう場合がある。後述する便利な機能もスムーズに利用しにくい。また、半角変換操作に慣れていても、「確定」という操作が1つ多くなってしまう。マクロ記述時は、日本語（全角）入力時のみオンにし後はすぐにオフにもどしておくことをおすすめする。なお、最近のExcelでは全角で入力してしまった命令を自動的に半角に変換したり、余計な空白を削除してくれたりするので全角入力によるエラーはかなり避けられるようになっている。

## 2　大文字、小文字どちらでも大丈夫！

サンプルプログラムなどを見ると、英文のようにきれいに先頭が大文字、以降が小文字に整理されている。これはExcelが自動的に書き換えてくれているのだ。すべて大文字、または小文字で記述しても、 Enter キーで改行するときれいに書き換えてくれる。逆にExcelが理解不可能な命令を記述すると書き換えてくれないので、入力ミスがあったかの判断にも有効である。

## 3　とっても便利な自動メンバ機能

VBAのコードは、ピリオド「.」で複数の英単語が結合されたような型が多く、とてつもなく長い記述になったりすることもある。が、このピリオド「.」は「自動メンバ機能」を起動してくれるありがたい記号でもあるのだ。「自動メンバ機能」とは、入力中のコードで利用可能なプロパティやメソッド（これらをメンバと呼んでいる）のリストを表示し、その中から選択入力できる機能である。

リストはアルファベット順に並んでいるが、表示中に数文字のアルファベットを入力すると、その文字を先頭とするリスト位置に自動的にジャンプしてくれるので検索しやすくなる。

リストから選択入力する方法は次の3種がある。

①ダブルクリックする。

②↑↓キーで選択、Tabキーを押す。

③↑↓キーで選択、Enterキーを押す。

③の場合は改行されてしまうので、続けて入力が必要な場合は不便である。②をおすすめする。

いずれにせよ、スペルや、プロパティ、メソッドの種類の暗記、入力ミスなどから解放されるので存分に活用しよう。

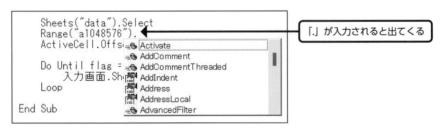

`「.」が入力されると出てくる`

## 4 慣れてきたら便利、自動クイックヒント機能

関数入力中に登場してくるポップアップタイプのメッセージである。

始括弧「(」を入力した時点で、入力中の関数とその引数の情報が表示される。

関数の構文を忘れたときなど便利。

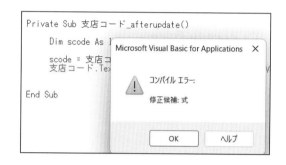

```
Private Sub 支店コード_afterupdate()

    Dim scode As Integer

    scode = 支店コード.Value
    支店コード.Text = Application.WorksheetFunction.VLookup(|
                                    VLookup(Arg1, Arg2, Arg3, [Arg4])

End Sub
```

「(」が入力されると
出てくる

## 5 エラーは早い段階に退治

コード行を入力し Enter キーを押したときにその行が赤で表示されたり、エラーメッセージが表示された場合、その行には致命的な誤りがある。

エラーをそのままにして入力を続けることもできるが、赤い表示は残ったままでいずれまた修正しろとの催促（エラー）がでる。即修正しよう。

```
Private Sub 支店コード_afterupdate()

    Dim scode As I
```

Microsoft Visual Basic for Applications    ×

⚠ コンパイル エラー:

修正候補: 式

OK    ヘルプ

```
    scode = 支店コ
    支店コード.Tex

End Sub
```

## 6 実行する前に文法の確認

文法エラーは実行しなくても次の操作で検出できる。

①チェックしたいモジュール内をクリックしておく。

②［デバッグ (D)]－[VBAProject のコンパイル (L)］をクリックする。

長いプログラムや、データを更新するようなプログラムの場合は、実行前にこの方法で事前にチェックしておこう。

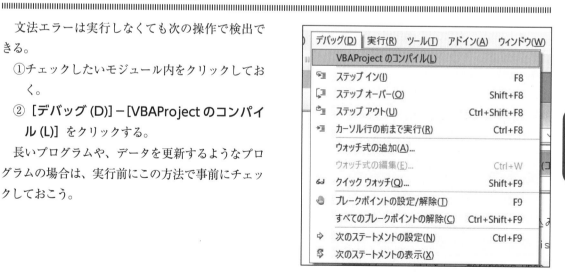

| デバッグ(D) | 実行(R) | ツール(T) | アドイン(A) | ウィンドウ(W) |

VBAProject のコンパイル(L)

| | ステップ イン(I) | | F8 |
| | ステップ オーバー(O) | | Shift+F8 |
| | ステップ アウト(U) | | Ctrl+Shift+F8 |
| | カーソル行の前まで実行(R) | | Ctrl+F8 |
| | ウォッチ式の追加(A)... | | |
| | ウォッチ式の編集(E)... | | Ctrl+W |
| | クイック ウォッチ(Q)... | | Shift+F9 |
| | ブレークポイントの設定/解除(T) | | F9 |
| | すべてのブレークポイントの解除(C) | | Ctrl+Shift+F9 |
| | 次のステートメントの設定(N) | | Ctrl+F9 |
| | 次のステートメントの表示(X) | | |

付録

# 付録2　プログラムのエラーを修正するには

　人間が仕事を楽にするためにプログラムなどを作成するものの、完成にいたるまでは完全な人海戦術。人間がやることなので当然ミスが発生する。このミスがプログラムエラーであり、コード上のどこかに存在している。エラーの原因をバグ（虫）といい、バグを発見し正しく修正する作業をデバッグ（虫取り）という。これもまた、手作業であり、実は、開発に要する時間の半分は、この時間といってもよい。この大変な作業を効率良く進めるため、まずは敵（エラー）を知り、敵ごとに対策を講じてみる。

## 1　エラーの種類

　VBA で発生するエラーには下記の３種類がある。(1)〜(3)は実は発生段階の順にも相当するし、解決するにあたっての難易度の簡単な順にも相当する。

### (1)コンパイルエラー

　スペルミスとか記号の入力漏れなど誤った記述で起こるエラー。コンパイルエラーはさらに、次の２種がる。

#### ①構文エラー

　コード入力中に自動構文チェック機能（ステートメント入力 Enter キーを押すと、エラー箇所を赤い色で知らせる機能）によって検出される。主にスペルミスなどの入力ミスや関数の引数が足りないなど、見た目で判断できるようなエラーである。

#### ②文法エラー

　実行時に発生するエラーでエラー箇所が反転表示で検出される。主に変数宣言のデータ型名称の誤りや、同じ変数名が使われているような場合に発生する。見た目はよさそうなのだが、文法に合わずに Excel が理解不能となって出るエラーである。

### (2)実行時エラー

　コンパイルエラー撲滅後、実行時に発生するエラーである。エラー箇所が黄色で検出される。主に宣言していない変数や存在しないオブジェクトを操作しようとした場合に発生する。ユーザーの命令を理解できたので、そのとおり動いてみたらあるべきものがなくて動けなくなったというようなエラーである。

### (3)論理エラー

　コンパイルエラーも実行時エラーも発生せず正常に終了するのだが、希望どおりまたは予測したとおりの結果が得られないエラーである。掛け算しなければならないところを割り算していたなど、こんなはずじゃなかったという場合がこれに相当する。人間の考え違いによって発生するエラーである。

# 2　デバッグ方法のいろいろ

## (1)コンパイルエラーの場合

### ①構文エラーの場合

❶ ［OK］をクリックする。赤字の部分を修正する。赤字がとれたら完了。

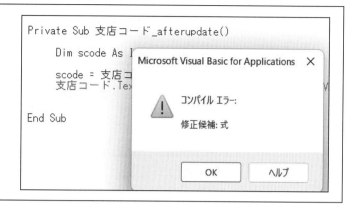

### ②文法エラーの場合

❶ ［OK］をクリックする。

❷ ■（リセット）をクリックする。エラー箇所が反転で表示されるので修正する。

## (2)実行時エラーの場合

❶終了をクリックすると通常のコードウィンドウにもどる。［デバッグ（D）］をクリックすると❷の画面になる。

❷エラー箇所が黄色で検出される。プログラムの状態はメニューバーにあるように［中断］状態である。この状態でできることは「(3)中断時にできること」を参照。■（リセット）をクリックすると通常のコードウィンドウにもどる。

❶

❷
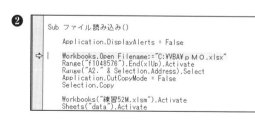

## ⑶中断時にできること

### ①データヒント機能

マウスでポイントされている変数の値を自動的に表示する。

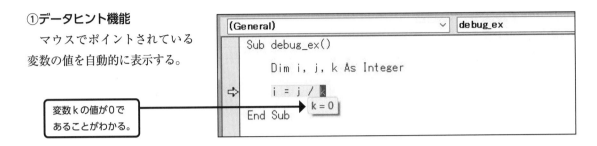

変数 k の値が 0 であることがわかる。

### ②継続

ストップ箇所以降を修正し処理を継続するには、修正後 ▶（**継続**）をクリックする。

式を変更してみたのでここから実行を再開してみる。

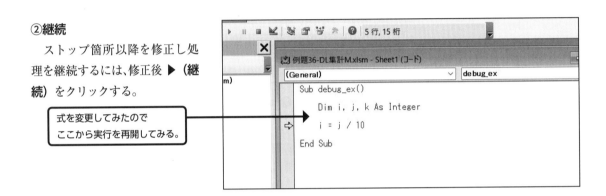

### ③任意のステートメントを指定して処理を継続（再開）する

ストップ箇所以外を修正または新たなステートメントを記述し、そこから再開する。

❶開始ステートメントにカーソルを移動しておく。

❷ ［デバッグ（D)] － [次のステートメントの設定（N)] をクリックする。行が黄色になる。

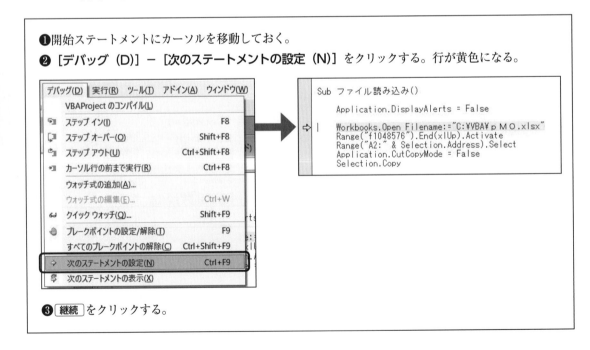

❸ ［継続］をクリックする。

## ⑷論理エラーの場合

エラーメッセージは表示されず、自分でエラー箇所をみつけなくてはならない難易度最大のエラーである。だが、原因追及のポイントはある。

　①意図したとおりの順番に命令が実行されているか？

　②変数の内容は正しいか？

である。この２点をターゲットとしたツールの操作方法を説明する。

### ①実行の流れ（順番）を調べ、エラー箇所を特定する

#### ⑦ ブレークポイント

コードウィンドウでブレークポイントを設定して実行すると、一時的にその行で実行を中断することができる。怪しい箇所に設定し、その後の実行順番や、処理途中の変数の内容を調べながら、エラー箇所を絞り込んでいくのである。

設定したい行の左側の灰色の領域をクリックする。すると●が表示され対象行が反転する。解除するには再度●をクリックする。クリックするだけで設定でき、しかも複数設定できるので関係のないところまで設定しないように注意！

#### ⑦ ステップイン　[F8]キーまたは［デバッグ (D)]−[ステップ イン (I)]

中断されたところから続きのコードを<u>1行ずつ</u>実行する。中断行を実行し次の行で中断する。

#### ⑦ ステップオーバー　[Shift] + [F8]キーまたは［デバッグ (D)]−[ステップ オーバー (O)]

中断されたところから<u>1つのステートメントブロックまたはプロシージャごと</u>に実行する。

#### ⑦ ステップアウト　[Ctrl] + [Shift] + [F8]キーまたは［デバッグ (D)]−[ステップ アウト (U)]

中断されたところから<u>残りをすべて</u>実行する。

#### ⑦ カーソル行の前までを実行

中断したい行にカーソルを移動した後[Ctrl] + [F8]キーまたは［デバッグ (D)]−[カーソル行の前までを実行 (R)]

#### ⑦ 呼び出し履歴

中断した時点までに呼び出されたプロシージャの履歴が表示される。これにより、現在のプロシージャがどのプロシージャから呼び出されてきたかを調査できる。エラーの原因が他のプロシージャにある場合もあり、その特定に便利である。

❶ ［表示 (V)]−[呼び出し履歴 (K)] をクリックする。

❷ ［呼び出し履歴］ダイアログボックスから 表示 をクリックする。

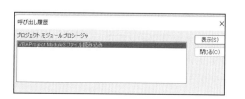

## ②変数やプロパティの値を実行の過程で調べる

ブレークポイントの設定と併用することにより、実行中の変数などの値を調べることができる。

### ㋐ ウォッチウィンドウ

注意して観察が必要な変数やプロパティの値、式を登録しておくことができる。これにより、特定の変数などの値が中断時、常時表示される。データヒント機能より詳しい情報が得られる。

---

❶ 値を調べたい変数や式などを選択する。

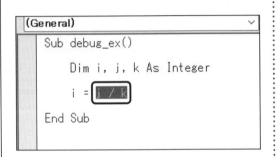

❷ ［デバッグ (D)］−［ウォッチ式の追加 (A)］をクリックする。

❸ 「ウォッチ式の追加」ダイアログボックスが表示される。［OK］をクリックする。

❹ 自動的にウォッチウィンドウが画面下部に開かれ、指定した式が表示される。

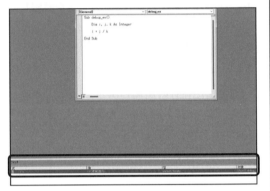

❺ コードを実行すると、ここに中断時の指定した式や変数の内容が表示され、変化が観察できる。

❻ 「ウォッチ式」の削除はウォッチウィンドウから、削除したい行を選択後、右クリックする。中から、［ウォッチ式の削除 (D)］をクリックする。

---

### ㋑ クイックウォッチウィンドウ

㋐のウォッチウィンドウでは実行前にウォッチ式を追加しておかなくてはならなかった。クイックウォッチウィンドウは中断時にウォッチ式が追加できる。

❶中断時にコードウィンドウから追加したい式を選択する。

❷［デバッグ (D)]−[クイックウォッチ (Q)] をクリックする。

❸「クイックウォッチ」ダイアログボックスが表示される。追加（A）をクリックする。

❹自動的にウォッチウィンドウが画面下部に開かれ、指定した式が表示される。

㋒ イミディエイトウィンドウ

コードを修正する前に、考えた式を仮実行してみたい、まとまったデータの内容を表示させたい、などに便利である。変数の値の表示には「?」のあとに変数名を記述する。また、プロシージャ内に記述して使用する「Debug.Print」が対象とする出力先でもある。このウィンドウは中断時でも、コード記述時でもいつでも利用できる。

❶［表示 (V)]−[イミディエイトウィンドウ (I)] をクリックする。画面下部にイミディエイトウィンドウが開かれる。（右はクリックする前の画面）

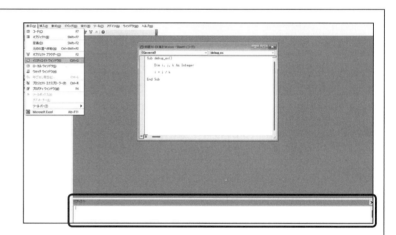

❷イミディエイトウィンドウ内にコードを入力し、Enter キーを押す。次の行に結果が表示される。このウィンドウ内はワープロと同様、自由に入力、削除や移動、複写などの作業ができる。

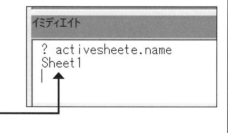

1行目：アクティブシートの名前を表示する命令
2行目：実行結果

㋓ ローカルウィンドウ

このウィンドウでは実行中のプロシージャ内のローカル変数だけの一覧が表示される。ウォッチウィンドウのような登録は必要ないが、式やプロパティの内容は表示されない。なお、停止時は何も表示されず、中断時にのみ有効な変数一覧のウィンドウである。

## 1　知っておきたい基礎要素

### オブジェクト

プログラミングの操作対象になるものすべて。動作や値設定などの主体となる。

具体的には、Excel 自体（アプリケーション）、そこに開くブック（ファイル）、その中のシート、シートの中のセルやセル範囲、あるいはグラフや図形、マクロボタンやフォームなどがある。

<記述例>

| | |
|---|---|
| ① `Application` | ①アプリケーション（Excel）そのもの |
| ② `Worksheets("Sheet2")` | ②「Sheet2」のワークシート |
| ③ `ActiveSheet.Range("A1")` | ③最前面にあってアクティブなシートのセル A1 |
| ④ `Range("A1:C10")` | ④ A1:C10 のセル範囲 |

**補足** アプリケーションオブジェクトは単体であるが、その他のものはその下に順に階層構造をなしており、複数存在できる。オブジェクトが集合したものをコレクションという。

### プロパティ

オブジェクトの状態を表し、その特徴を決めるもの。属性。オブジェクトに対する形容詞のようなもの。オブジェクトの外見を変えたり、オブジェクトに値を設定したり、あるいはオブジェクトの値や特徴を取得したい、という場合に利用する。

<書式>

| | |
|---|---|
| **オブジェクト . プロパティ＝設定値** | （プロパティの値を設定する場合） |
| **変数＝オブジェクト . プロパティ** | （プロパティの値を取得して変数に代入する場合） |

<記述例>

| | |
|---|---|
| ① `Selection.Font.Bold = True` | ①選択したオブジェクトのフォントを太字にする |
| ② `Selection.Value = 1` | ②選択したオブジェクトの値を「1」にする |
| ③ `Range("A1:C10").Name = "TBL"` | ③セル A1:C10 を選択し、「TBL」という名前を定義する |

### メソッド

オブジェクトの処理・動作を表す。オブジェクトに対する動詞に相当する。ブックを開いたり、シートをアクティブにしたり、セルを選択する、というような場合に利用する。メソッドはオブジェクトによってできるものとできないものがある（例えばセルは選択できても開くことはできない）。

<書式>

| | |
|---|---|
| **オブジェクト . メソッド** | （メソッドを実行する） |
| **オブジェクト . メソッド　引数** | （引数を指定してメソッドを実行する） |

<記述例>

| | |
|---|---|
| ① `Workbooks.Open FileName = "名簿 .xlsx"` | ①ファイル名「**名簿 .xlsx**」というブックを開く |
| ② `Range("A1:C10").Select` | ②セル範囲 A1:C10 を選択する |
| ③ `Selection.Copy` | ③選択されたオブジェクトをコピーする |

**補足** オブジェクト・プロパティ・メソッドの関係は、自動車を例にとれば、自動車というオブジェクトは、アクセルを踏むという動作（メソッド）を行うと、速度という属性（プロパティ）が上昇する、という関係に似ている。

## イベント

オブジェクトの特徴（プロパティ）や操作（メソッド）を生じさせるきっかけとなるできごと。これをもとにプログラム（イベントプロシージャ）が開始される。

**＜記述例＞**

| ① `Private Sub CommandButton1_Click()` | ① CommandButton1 をクリック |
|---|---|
| | （をきっかけにプロシージャの開始） |
| ② `Private Sub ComboBox1_Change()` | ② ComboBox1 の値を変更 |
| | （をきっかけにプロシージャの開始） |

**補足** それぞれのオブジェクトによって起こるイベントが決まっている。例えばボタン（オブジェクト）の場合、クリックする、ダブルクリックするなどのイベントは記述できるが、値を変更するなどのイベントは記述できない。

## ステートメント

オブジェクトに対してプロパティの値を取得する、メソッドを実行するなどの、プログラム実行の最小単位で、1つ1つの実行の命令文のこと。プログラム上、1つのステートメントが1つの指示に当たる。名詞や動詞、形容詞などの単語を適当に羅列しても文として意味をなさないように、オブジェクトに対してプロパティやメソッドをあるまとまりで正しく記述して初めて意味をもたせ、実行することができる。

**＜記述例＞**

| ① `Selection.Font.Bold = True` | ①選択したオブジェクトのフォントを太字にする |
|---|---|
| ② `Range("A1:C10").Select` | ②セル範囲 A1:C10 を選択する |
| ③ `If Range("A1") < 100 Then` | ③セル A1 の値が 100 未満ならば「無効な値です」とメッ |
|     `MsgBox"` 無効な値です ` "` |     セージボックスで表示する |

## プロシージャ

プログラムの最小単位。1つ以上のステートメントで構成して一連の作業を行うようにしたもの。記述にあたっては開始と終了を明らかにし、他と区別するためにプロージャ名が必要である。

**＜記述例＞**

| ① `Sub` **太字** `()` | ①「**太字**」プロシージャ |
|---|---|
|    `Range("A1").Select` |    セル A1 を選択 |
|    `Selection.Font.Bold = True` |    選択オブジェクトのフォントを太字に設定 |
| `End Sub` | 「**太字**」プロシージャの終了 |
| ② `Private Sub` **閉じる** `Btn_Click( )` | ②「**閉じる** Btn」クリック |
|    `ActiveWorkBook.Close` |    アクティブブックを閉じる |
| `End Sub` | イベントプロシージャの終了 |

**補足** プログラムを記述する専用シートを「モジュール」という。ブックやシートに発生したイベントに対するプロシージャは「オブジェクトモジュール」に、ユーザーフォームの操作に関連するプロシージャは「ユーザーフォームモジュール」に、ブックやシート、ユーザーフォームの操作とは直接関連しないプロシージャは「標準モジュール」に記述する。このときプロシージャ名は処理の内容がわかりやすいような名前をつけるとよい。イベントプロシージャの場合はコードウィンドウのオブジェクトボックスからオブジェクトを、プロシージャボックスからイベントを選択すると自動的に名前が設定される。

付録3　VBA の基礎知識　**199**

　プログラム実行中に参照するデータの一時的な入れ物。プログラムの最初でデータを変数に代入すれば、これ以降は実際のデータではなく変数名を統一して記述すればよいので、実行のたびにデータの値が変わるような場合、プログラムの記述がわかりやすく効率的なものにできる。一般的に変数は適宜名前を決めてデータ型とともに Dim ステートメントで宣言する。

<記述例>

| ① Dim i As Integer | ①整数型の変数「i」の宣言。数を数えるカウンタなどとして利用する |
|---|---|
| ② Dim intGoukei As Long | ②長整数型の変数「intGoukei」の宣言。合計値を保管する入れ物などとして利用する |
| ③ Dim myJyusho As Strings | ③文字列型の変数「myJyusho」の宣言。住所データを保管する入れ物などとして利用する |

**補足** 変数をプロシージャ内で宣言した場合、その変数はそのプロシージャ内でだけ使うことができ、プロシージャの終了とともに変数内の値は破棄される。モジュール冒頭の宣言セクション内で宣言した変数は、そのモジュール内にあるすべてのプロシージャで共通して使うことができ、ブックが閉じられるまでその値が保持される。

　また、プログラム内で頻繁に参照する決まったデータを入れる場合はこれを「定数」という。決まった値であっても具体的な文字列や数値のまま使うよりも、記述がわかりやすく修正しやすい。

　例えば「11/21」というデータがあった場合、見た目は文字列、日付、わり算の式などそのいずれとも判断しにくい。これはコンピュータにとっても同様で、変数を扱うときにはそのデータ型を明らかにしておくほうが効率的である。さらにデータ型ごとに大きさ（容量）が決まるのでメモリの無駄がなくなる。

　主なデータ型には次のようなものがある。

| Integer（整数型） | Byte（バイト型） | Single（単精度浮動小数点型） |
|---|---|---|
| Long（長整数型） | Boolean（ブール型） | Double（倍精度浮動小数点型） |
| String（文字列型） | Object（オブジェクト型） | |
| Date（日付型） | Variant（バリアント型） | |

**補足** オブジェクト型変数では「オブジェクト名 As Object」と宣言してもよいが、オブジェクトの種類がはっきりしている場合は「オブジェクト名 As Workbook」「オブジェクト名 As Worksheet」「オブジェクト名 As Range」のようにオブジェクトを特定して記述したほうがメモリの無駄がない。

# 2 VBA の基本構文

## (1)代入と式

　変数や定数、プロパティなどに値を設定すること。

<書式>

```
変数 = 代入する値
Set オブジェクト変数 = オブジェクト
オブジェクト名.プロパティ = 設定値
```

**＜記述例＞**

| | |
|---|---|
| ① myData = 5 | ①変数 myData に数値「5」を代入 |
| ② myData = " データ " | ②変数 myData に文字列「データ」を代入 |
| ③ Set myRange = Range("A1:C10") | ③オブジェクト変数 myRange にセル範囲 A1:C10 を設定 |
| ④ Range("A1").Value = 5 | ④セル A1 に数値「5」を代入 |

**補足** オブジェクト変数への代入は「Set ステートメント」を使う。プロシージャが終了するとオブジェクトへの参照は自動的に解除されるが、プロシージャの終了前に Nothing キーワードを使って初期化を明示することが一般的である。（Set オブジェクト変数 = Nothing）

## 式と演算子

式には、数式・文字列式・論理式などの種類があり、演算子を利用して記述する。主な演算子は次のとおり。

### ①算術演算子

| | |
|---|---|
| + | 2つの数値の和を求める　（足し算） |
| − | 2つの数値の差を求める　（引き算あるいは負の値を表す） |
| * | 2つの数値の積を求める　（かけ算） |
| / | 2つの数値の商を求める　（わり算） |
| ^ | 数値のべき乗を求める　（指数演算） |
| % | パーセンテージの計算 |

### ②文字列結合演算子

| | |
|---|---|
| & | 2つの文字列を連結する。文字列は「"」で囲まなければならない |

### ③比較演算子

| | |
|---|---|
| = | 左辺と右辺が等しい |
| > | 左辺が右辺より大きい |
| >= | 左辺が右辺以上 |
| <= | 左辺が右辺以下 |
| < | 左辺が右辺より小さい |
| <> | 左辺と右辺が等しくない |
| Like | 文字列の比較 |
| Is | オブジェクトの比較 |

### ④論理演算子

| | |
|---|---|
| And | 2つの条件が「なおかつ」で結ばれるような場合（論理積）<br>2つの論理式が同時に成り立つときに「True」となる |
| Or | 2つの条件が「または」で結ばれるような場合（論理和）<br>2つの論理式のどちらかが成り立つときに「True」となる |
| Not | 条件を「ではない」と否定するような場合（論理否定）<br>論理式が成り立たないときに「True」となる |

## ⑵条件分岐

### If... Then... Else ステートメント

処理分岐の条件を条件式（論理式）で表し、その結果（真偽）に応じてそれぞれ別の処理を実行する。

**＜書式＞**

```
If 条件式 Then
    条件式が成り立ったときに実行する処理
Else
    条件式が成り立たないときに実行する処理
End If
```

**＜記述例＞**

| | |
|---|---|
| `Sub IfThenEx( )` | 「IfThenEx」プロシージャの開始 |
| `Dim myData As Integer` | 整数型の変数「myData」の宣言 |
| `myData = Range ("A1") .Value` | myData にセル A1 の値を代入 |
| `If myData < 10 Then` | もし myData の値が「10」未満ならば |
| `    MsgBox " 無効な値です "` | **「無効な値です」**というメッセージボックス表示 |
| `Else` | そうでなければ |
| `    MsgBox " 適正な値です "` | **「適正な値です」**というメッセージボックス表示 |
| `End If` | 条件分岐の終了 |
| `End Sub` | プロシージャの終了 |

**補足** 条件式が成立したときの処理だけを記述する「If... Then」ステートメントもある。

### If... Then... ElseIf ステートメント

処理分岐の条件が複数ある場合は、さらに ElseIf ステートメントを使ってそれぞれの条件式に応じて別の処理を割り当てる。

**＜書式＞**

```
If 条件式 1 Then
    条件式 1 が成り立ったときに実行する処理
ElseIf 条件式 2 Then
    条件式 2 が成り立ったときに実行する処理
ElseIf 条件式 3 Then
    条件式 3 が成り立ったときに実行する処理
        ・
        ・
Else
    いずれの条件式も成り立たなかったときに実行する処理
End If
```

**補足** 条件式 n が成り立ったときに実行する処理の中でさらに If... Then や If... Then...Else ステートメントを利用すれば、漸次複雑な条件分岐が可能である（入れ子構造）。

## Select Case ステートメント

1つの条件式の結果に応じて複数の処理に振り分ける（多分岐）。

### <書式>

```
Select Case 条件式
  Case 条件1
      条件1が成り立ったときに実行する処理
  Case 条件2
      条件2が成り立ったときに実行する処理
    ・
    ・
  Case Else
      いずれの条件も成り立たなかったときに実行する処理
End Select
```

### <記述例>

| | |
|---|---|
| `Sub SCaseEx()` | 「SCaseEx」プロシージャの開始 |
| `  Dim tsuki As String` | 文字列型の変数「tsuki」の宣言 |
| `  tsuki = InputBox("月名を入力してください")` | tsuki に入力ボックスによって入力されたデータを代入 |
| `  Select Case tsuki` | tsuki に代入された値に応じて条件分岐開始 |
| `    Case"1月"` | 「1月」の場合 |
| `       Range("A1") .Select` | セル A1 を選択 |
| `       Range("A1") .Value = tsuki` | セル A1 に tsuki の値を入力 |
| `    Case" 2月 "` | 「2月」の場合 |
| `       Range("B1") .Select` | セル B1 を選択 |
| `       Range("B1") .Value = tsuki` | セル B1 に tsuki の値を入力 |
| `    Case"3月"` | 「3月」の場合 |
| `       Range("C1") .Select` | セル C1 を選択 |
| `       Range("C1") .Value = tsuki` | セル C1 に tsuki の値を入力 |
| `    Case Else` | それ以外の場合 |
| `       MsgBox"1〜3月で入力してください "` | 「1〜3月で入力してください」というメッセージを表示する |
| `  End Select` | 条件分岐処理の終了 |
| `End Sub` | プロシージャの終了 |

**補足** 必要がなければ Case Else 以下は省略できる。

　処理の分岐が多い場合は、If... Then...Else ステートメントより簡潔な記述になるのでわかりやすく、また記述が少ない分処理速度も速い。

## ⑶繰り返し処理

**For... Next ステートメント**

指定された回数だけ同じ処理を繰り返す。

**＜書式＞**

```
For　変数名 = 初期値 To 最終値 Step 処理を 1 回実行するたびに変数に加算する値
　　繰り返す処理
Next　変数名
```

**＜記述例＞**

| | |
|---|---|
| `Sub  FNextEx( )` | 「FNextEx」プロシージャの開始 |
| `  Dim i As Integer` | 整数型の変数「i」の宣言 |
| `  Range("A3").Activate` | セル A3 をアクティブにする |
| `  For i = 1 To 10` | カウンタ変数が 1 から 10 になるまで繰り返す |
| `    ActiveCell.Value = i` | アクティブなセルに変数 i の値を入力 |
| `    ActiveCell.Offset(1,0).Activate` | アクティブセルを 1 つ下へ移動 |
| `  Next i` | For ステートメントにもどる |
| `End Sub` | プロシージャの終了 |

**補足** Step が「1」の場合は省略可。Next の後の変数名も省略可。ただし繰り返し処理中にも For...Next ステートメントが含まれ入れ子構造になっている場合は、異なる変数を用い、Next の後の変数名は省略しないほうがわかりやすい。

**Do While...Loop ステートメント**

条件が成り立っている間は処理を繰り返す。繰り返しの回数は決まっていない。最初から条件が成り立たなければ処理は 1 度も実行されない。

**＜書式＞**

```
Do While 条件式
　　繰り返す処理
Loop
```

**＜記述例＞**

| | |
|---|---|
| `Sub DoWhileEx()` | 「DoWhileEx」プロシージャの開始 |
| `  Dim myCnt As Integer` | 整数型の変数「myCnt」を宣言 |
| `  myCnt = 0` | myCnt に 0 を代入 |
| `  Do While Range("B3").Value < 10` | セル B3 の値が 10 より小さい間以下の処理を繰り返す |
| `    Range("B3").Value = _` | セル B3 の値に 2 を加算 |
| `            Range("B3").Value + 2` | |
| `    myCnt = myCnt + 1` | myCnt に 1 を加算 |
| `  Loop` | Do ステートメントにもどる |
| `  Msgbox myCnt & "回繰り返しました"` | 「(myCnt の現在の値) **回繰り返しました**」というメッセージを表示 |
| `End Sub` | プロシージャの終了 |

**Do Until...Loop ステートメント**

条件が成り立つまで処理を繰り返す。繰り返しの回数は決まっていない。最初から条件が成り立っていれば処理は 1 度も実行されない。

**付録**

## ＜書式＞

```
Do Until  条件式
   繰り返す処理
Loop
```

## ＜記述例＞

| | |
|---|---|
| `Sub DoUntilEx( )` | 「DoUntilEx」プロシージャの開始 |
| `  Dim myCnt As Integer` | 整数型の変数「myCnt」を宣言 |
| `  myCnt = 0` | myCnt に 0 を代入 |
| `  Range("C5").Value = 10` | セル C5 に 10 を入力 |
| `  Do Until Range("C5").Value < 0` | セル C5 が 0 より小さくなるまで以下の処理を繰り返す |
| `    Range("C5").Valie = _` | セル C5 の値から 2 を減算 |
| `          Range("C5").Value − 2` | |
| `    myCnt = myCnt + 1` | myCnt に 1 を加算 |
| `  Loop` | Do ステートメントにもどる |
| `  Msgbox myCnt & ″回繰り返しました″` | 「(myCnt の現在の値)**回繰り返しました**」というメッセージを表示 |
| `End Sub` | プロシージャの終了 |

## Do...Loop While ステートメント

　処理を実行したあと、条件が成り立っている間は処理を繰り返す。最低 1 回は処理が実行される。

### ＜書式＞

```
Do
   繰り返す処理
Loop While  条件式
```

## Do...Loop Until ステートメント

　処理を実行したあと、条件が成り立つまで処理を繰り返す。最低 1 回は処理が実行される。

### ＜書式＞

```
Do
   繰り返す処理
Loop  Until  条件式
```

## ⑷一括制御

## With ステートメント

　1 つのオブジェクトに対する複数のプロパティの値を一度に設定する。プロパティごとに同じオブジェクトを繰り返して記述するような無駄を省いて、読みやすくする。

### ＜書式＞

```
With  オブジェクト名
   プロパティの設定処理
End With
```

付録

<記述例>

| | |
|---|---|
| ```Range("A1:C1").Select``` | セル範囲 A1:C1 を選択 |
| ```With  Selection.Font``` | [ホーム]タブで<フォント>－[フォント]で |
| ```    .Name = "MS P 明朝"``` | 「MS P 明朝」を選択 |
| ```    .Size = 11``` | |
| ```    (中略)``` | |
| ```End With``` | |
| ```With Selection.Font``` | [ホーム]タブで<フォント>－[フォントサイズ]で |
| ```    .Name = "MS P 明朝"``` | 「14」を選択 |
| ```    .Size = 14``` | |
| ```    (中略)``` | |
| ```End With``` | |
| ```With Selection.Font``` | [ホーム]タブで<フォント>－[フォントの色] |
| ```    .Color = -16776961``` | で「赤」を選択 |
| ```    .TintAndShade = 0``` | |
| ```End With``` | |

操作そのものはリボンのフォントグループで3種類の設定をするだけであるが、マクロ記録による記述では設定しないものも含めて記録されるので、設定しないものや重複があるので必要なものだけ残す

| | |
|---|---|
| ```Range("A1:C1").Select``` | セル範囲 A1:C1 を選択 |
| ```With Selection.Font``` | 選択したオブジェクトに対し、 |
| ```    .Name = "MS P 明朝"``` | フォントを MS P 明朝にする |
| ```    .Size = 14``` | フォントサイズを 14 にする |
| ```    .Color = -16776961``` | フォントの色を赤にする |
| ```End With``` | 一括処理終了 |

## ⑸ 関数

### 関数

あらかじめ定義してある処理方法（計算式）にしたがって、指定された引数を使って処理（計算）を行い、値（答え）を返す機能。VBA で利用できる関数には次のものがある。

・VBA に用意されている関数
・Function プロシージャ（ユーザー定義関数・必要な引数を用意して処理方法をプロシージャとして記述）
・Excel のワークシート関数

<書式>

関数名（引数1，引数2，・・・・）

補足 ほとんどの関数は、処理の結果、値を返す（戻り値や返り値という）ので、この結果を変数などのオブジェクトに代入したりして利用する。

代入するオブジェクト名 = 関数名（引数1，引数2，・・・）

引数の数は関数によって異なるが、複数の場合は「，（カンマ）」で区切る。また、中には引数を持たない関数や（Date[※1]など）や、引数も戻り値もない関数（Beep[※2]など）もある。

ワークシート関数を利用するときには、WorksheetFunction オブジェクトとして指定する。

<例>

```
Range("B10").Value = Application.WorksheetFunction.Sum(Range("B5:B9"))
```

ワークシートでセル B10 に「=SUM(B5:B9)」と入力したのと同じ

※1　システム日付をもとめる　　※2　ビープ音を鳴らす

## ⑹ユーザーフォームとコントロール

┌─ **ユーザーフォーム** ──────────────────────────────┐

　ユーザーが独自に作成するダイアログボックスの台紙に相当するもので、この中に部品として各種コントロールを配置する。

　例えば項目が多くて横に長い表があって、数多い項目について１件分ずつデータを入力していくときなど、１件分ずつのカードになっているような入力フォームを作成して利用すると便利になる。また、入力されるデータが数種類と決まっているような項目の場合クリックで選べる、というようにフォームが工夫されていると入力しやすく、また入力ミスを防ぐことにもなる。

┌─ **コントロール** ──────────────────────────────┐

　ユーザーフォームに配置するボタンやテキストボックスなど１つ１つの部品のこと。ActiveX コントロールともいう。

　コントロールには次のようなものがある。

| | |
|---|---|
| CheckBox<br>**チェックボックス** | はい・いいえやオン・オフのような２つの状態を切り替えたいときに使用する。あるいはフレームと組み合わせて複数の選択肢を選ぶようなときに使用する |
| ComboBox<br>**コンボボックス** | クリックによってドロップダウンするリストから選択したいときに使用する |
| CommandButton<br>**コマンドボタン** | クリックすることによって何らかの処理を実行するときに使用する |
| Frame<br>**フレーム** | フォーム上のコントロールを機能や目的別に区分するとき、あるいはオプションボタンと組み合わせてオプショングループを作成するときに使用する |
| Label<br>**ラベル** | 文字列を表示してコントロールの説明やタイトルなどとして使用する |
| ListBox<br>**リストボックス** | 項目を縦にリスト表示して選択させるようなときに使用する |
| OptionButton<br>**オプションボタン** | 選択肢を与えるときに使用する。多くの場合フレームと組み合わせてオプショングループとし、複数の選択肢から１つだけを選択させるようなときに使用する |
| SpinButton<br>**スピンボタン** | 上限の値と下限の値を決め、その範囲で値を増減させるときに使用する |
| TextBox<br>**テキストボックス** | 文字列や値を直接キー入力させるときに使用する |
| Toggle<br>**トグルボタン** | ２つの状態を切り替えるときに使用する |

　コントロールにはそれぞれ固有のプロパティが用意されており、VBE のプロパティウィンドウを利用してその値を入力することでコントロールの外見や動作を設定できる。

## ⑺セル・ワークシート・ブックの操作

### ブックを開く（Open メソッド）

Excel で作成されたファイルは「ブック」といい、VBA の記述もこのブック内に保存される（マクロ有効ブック）。Open メソッドは、ブックを開く操作を行う。

**＜書式＞**

| Workbooks.Open　Filename:= ファイル名 [,ReadOnly:=True/False,…] |
| --- |

**＜記述例＞**

| ① Workbooks.Open Filename:="aa.xlsx" | ①カレントフォルダ（現在利用中のフォルダ）にあるブック「aa.xlsx」を開く |
| --- | --- |
| ② Workbooks.Open _<br>　　Filename:="C:¥ExcelData¥aa.xlsx" | ②絶対パス（フォルダやファイルの場所を示す）「C:ExcelData」にある「aa.xlsx」を開く |

**補足** 引数 Filename で指定するブック名は「""」で囲んで文字列として記述する。
その他のメソッドとして Close（閉じる）、Save（上書き保存）などがある。

### ワークシートを参照する（Worksheets プロパティ /Activesheet プロパティ）

ブックに複数のワークシートがある場合、どのワークシートを対象とするのか指定する必要がある。

**＜書式＞**

| オブジェクト名 .Worksheets（インデックス番号 / シート名）<br>オブジェクト名 .Activesheet |
| --- |

**＜記述例＞**

| ① Worksheets(" 名簿 ") | ①「名簿」ワークシートを指定する |
| --- | --- |
| ② Worksheets(2) | ② 2 番目にあるワークシートを指定する |
| ③ Activesheet | ③現在アクティブになっているシートを指定する |

**補足** 指定するシート名は「""」で囲んで文字列として記述する。
現在アクティブであるブックやウィンドウの場合、オブジェクト名を省略できる。

### 単独のセルを参照する　その 1（Range プロパティ）

シート上のセル位置を引数として、対象とする 1 つのセルを指定する。

**＜書式＞**

| オブジェクト名 .Range(" セル番地 ") |
| --- |

**＜記述例＞**

| Worksheets(1).Range("C2") | 1 番目のワークシートのセル C2 を指定する |
| --- | --- |

**補足** シート上のセル位置は「""」で囲み、文字列として記述する。
現在使用中のシートの場合はオブジェクト名を省略できる。

### 単独のセルを参照する　その 2（Cells プロパティ）

行番号と列番号を引数として、対象とするセルを指定する。

**＜書式＞**

| オブジェクト名 .Cells( 行番号 , 列番号 ) |
| --- |

**＜記述例＞**

| Worksheets.Cells(2,3) | 1 番目のワークシートのセル C2 を指定する |
| --- | --- |

**補足** 行番号と列番号は「,」で区切る。現在使用中のシートの場合はオブジェクト名を省略できる。
引数を省略するとシートの全セルを参照する。

## セル範囲を扱う（**Range** プロパティ）

セル範囲を引数として、対象とするセル範囲を指定する。

| <書式> | オブジェクト名 .Range(" 始点のセル番地 : 終点のセル番地 ") | |
|---|---|---|
| <記述例> | ① Range("A1:C10") | ① A1:C10 のセル範囲を指定する |
| | ② Range("A1:C1","B3:D5") | ② A1:C1 と B3:D5 の複数のセル範囲を指定する |

**補足** 複数の範囲を「,」で区切れば複数のセル範囲を指定できる。

現在使用中のシートの場合はオブジェクト名を省略できる。

## 行 / 列を扱う（**Range/Rows/Columns** プロパティ）

引数として行番号や列番号を指定して、行や列を取得する。

| <書式> | オブジェクト名 .Range(" 行番号 : 行番号 ")　あるいは　オブジェクト名 .Rows (行番号) | |
|---|---|---|
| | オブジェクト名 .Range(" 列番号 : 列番号 ")　あるいは　オブジェクト名 .Columns (列番号) | |
| <記述例> | ① Range("2:2") | ① 2 行目を取得する |
| | ② Rows(2) | ② 2 行目を取得する |
| | ③ Range("B:B") | ③ B 列を取得する |
| | ④ Columns(2) | ④ B 列を取得する |
| | ⑤ Range("2:4") | ⑤ 2 ～ 4 行目を取得する |
| | ⑥ Rows("2:4") | ⑥ 2 ～ 4 行目を取得する |

**補足** 現在使用中のシートの場合はオブジェクト名を省略できる。

## オブジェクトを選択する（**Select/Activate** メソッド）

ワークシートやセルなど、特定のオブジェクトを選択した状態にする。

Activate メソッドはシートやセル、ブックなどいずれでも単独のオブジェクトのみを対象とする。Select メソッドは複数のシートやセル範囲などを対象とできるがブックを対象にはできない。

| <書式> | オブジェクト名 .Select　あるいは　オブジェクト名 .Activate | |
|---|---|---|
| <記述例> | ① Range("A1").Select | ① セル A1 を選択する |
| | ② Range("A1").Activate | ② セル A1 を選択する |
| | ③ Range("A1:C10").Select | ③ セル範囲 A1:C10 を選択する |
| | ④ Worksheets("Sheet1").Activate | ④ シート Sheet1 をアクティブにする |
| | ⑤ Worksheets("Sheet1","Sheet3").Select | ⑤ シート Sheet1 と Sheet3 を選択する |

**補足** Select で選択した状態で Activate を使うと、選択を解除せずに 1 つのセルやシートをアクティブにできる。セルをアクティブにする場合、あらかじめ対象となるシートをアクティブにしておく。

## 選択したオブジェクトを扱う（**Selection/ActiveCell/ActiveSheet** プロパティ）

Selection はオブジェクトにかかわらず、現在選択されているオブジェクトを参照する。

現在選択されている（単独の）セルやシートの場合は ActiveCell や ActiveSheet が利用できる。

| <書式> | オブジェクト名 .Selection | |
|---|---|---|
| | オブジェクト名 .ActiveCell　あるいは　オブジェクト名 .ActiveSheet | |
| <記述例> | ① Range("A1").Select<br>　 Selection.Value = 10 | ① セル A1 を選択<br>　 選択されたオブジェクトに 10 を代入 |
| | ② Range("A1").Activate<br>　 ActiveCell.Value = 10 | ② セル A1 を選択<br>　 選択されたセルに 10 を代入 |

## アクティブなセルを移動する（Offset プロパティ）

基準としたセル位置を (0,0) として、指定した行数、列数だけ移動したセルを参照する。行は正の数が下方向、負の数が上方向、列は正の数が右方向、負の数が左方向を示し、基準セルからの相対的な位置を指定する。

**＜書式＞**

| オブジェクト .Offset（行方向の移動行数 , 列方向の移動列数） |
| --- |

**＜記述例＞**

| ① ActiveCell.Offset(1,0) | ①セルを 1 つ下へ移動する |
| --- | --- |
| ② ActiveCell.Offset(-1,-2) | ②セルを 1 つ上、2 つ左へ移動する |

**補足** オブジェクトには Range オブジェクトなどセルを表すものだけ指定できる。

## 連続したデータ範囲（表全体）を扱う（CurrentRegion プロパティ）

指定したセルを含み、そこから上下左右に連続するデータ範囲すべてを指定する。 Ctrl + * を押したときと同じ動作を表す。

**＜書式＞**

| オブジェクト .CurrentRegion |
| --- |

**＜記述例＞**

| Sub  keisen( ) | 「keisen」プロシージャの開始 |
| --- | --- |
| Range("A3").Select | セル A3 を選択 |
| ActiveCell.CurrentRegion.Borders _ | アクティブセルを含む連続範囲に格子線を引く |
| .LineStyle = xlContinuous | |
| End  sub | プロシージャの終了 |

**補足** オブジェクトには Range オブジェクトなどセルを表すものだけ指定できる。

## 終端のセルに移動する（End プロパティ）

アクティブなセルからみて、一番下や一番右など、データの終端に移動する。 Ctrl + ↓/↑/→/← を押したときと同じ動作を表す。

**＜書式＞**

| オブジェクト .End( 方向 ) |
| --- |

**＜記述例＞**

| ① ActiveCell.End(xlDown) | ①一番下のセルへ移動 |
| --- | --- |
| ② ActiveCell.End(xlUp) | ②一番上のセルへ移動 |
| ③ ActiveCell.End(xlRight) | ③一番右のセルへ移動 |
| ④ ActiveCell.End(xlLeft) | ④一番左のセルへ移動 |
| ⑤ ActiveCell.End(xlDown).End(xlRight) | ⑤一番右下のセルへ移動 |

**補足** オブジェクトには Range オブジェクトなどセルを表すものだけ指定できる。

## 3　本書に出てきた主なオブジェクト

| 名前 | 機能 |
| --- | --- |
| Application | アプリケーションすなわち Excel 自体 |
| Range | セル・セル範囲 |
| UserForm | ユーザーフォーム |

# 4 本書に出てきた主なプロパティ

| 名前 | 機能 | 書式 | 補足 |
|------|------|------|------|
| ActiveCell | アクティブセルを参照する | オブジェクト名<br>.ActiveCell | 通常ウィンドウを省略してアクティブウィンドウを対象とする |
| ActiveSheet | ウィンドウやブックのアクティブシートを参照する | オブジェクト名<br>.ActiveSheet | 通常ウィンドウやブックを省略してアクティブブックを対象とする |
| ActiveWindow | 実行時のアクティブウィンドウを参照する | Aplication<br>.ActiveWindow | 通常 Aplication オブジェクトは省略する |
| Address | セルのアドレス（シート上の位置）を文字列で取得する | Range オブジェクト名<br>.Address | 引数を省略すると、セル位置を絶対参照で取得する |
| Caption | ウィンドウスタイルとして使われる文字列を取得する | オブジェクト名<br>.Caption | 「=" 文字列 "」で設定 |
| Cells | アクティブシートやセル範囲から単一のセルを参照する | オブジェクト名 .Cells<br>(行位置 , 列位置) | 多くの場合オブジェクトを省略してアクティブシートを対象とする |
| Columns | アクティブシートやセル範囲の列を参照する | Aplication<br>.Columns | |
| CurrentRegion | アクティブセルから上下左右に連続するデータ範囲を選択する | オブジェクト名<br>.CurrentRegion | アクティブセルを含み、空白行と空白列で囲まれた四角形の領域となる |
| CutCopyMode | 切り取りモード・コピーモード（点滅する点線）の状態を取得／設定する | Aplication<br>.CutCopyMode | 「=False」で点滅する点線を解除できる |
| DisplayAlerts | 通常オブジェクトを削除する時などに表示される確認メッセージの表示／非表示の設定 | オブジェクト名<br>.DisplayAlerts | 「=False」で非表示<br>「=True」で表示 |
| Enabled | コントロール、フォームの動作 | オブジェクト名<br>.Enabled | 「True / False」で動作する／しないを設定できる |
| End | 対象セル範囲の領域の終端セルを参照する | Range(セル範囲)<br>.End(方向) | 引数で移動する方向を指定する。キーボードでの Ctrl + ↓/↑/→/←と同じ |
| EntireColumns | 対象セル範囲の列全体を参照する | Range(セル範囲)<br>.EntireColumns | |
| Font | セル内のフォントを参照する | オブジェクト名<br>.Font | さらに書式設定のプロパティをつなげてフォントに関する書式を設定する<br>[ホーム] タブ－＜フォント＞－「フォントの設定」を利用した場合と同じ |

付録

| 名前 | 機能 | 書式 | 補足 |
|------|------|------|------|
| Interior | セル内の塗りつぶし属性を参照する | オブジェクト名<br>.Interior | さらに書式設定のプロパティをつなげてフォントに関する書式を設定する<br>[ホーム] タブ−＜フォント＞−「塗りつぶしの色」を利用した場合と同じ |
| MoveAfter<br>ReturnDirection | セル入力時の Enter キーのあとのセルポインタの移動方向を示すモード | Aplication<br>.MoveAfter<br>ReturnDirection | 「＝方向」で設定できる<br>[ファイル] タブ−[オプション]−＜詳細設定＞の「 Enter キーを押したら、セルを移動する (M) の「方向 (I)：」を設定した場合に同じ |
| Name | オブジェクトにフォントの種類を設定する | オブジェクト名 .Name | |
| Offset | 対象セルを基準から指定した行数／列数分だけ移動したセルを参照する | Range( セル範囲 ).Offset<br>( 移動する行数を表す整数 ,<br>移動する列数を表す整数 ) | 引数は、行の下方向を正、列の右方向を正と考える |
| PivotCaches | ピボットテーブルを作成する | | [挿入] タブ−＜テーブル＞−[ピボットテーブル] を利用した場合と同じ |
| PivotTables | ピボットテーブルを参照する | | ピボットテーブル内にセルポインタをおいて、操作対象をピボットテーブルとした場合と同じ |
| Range | セル、セル範囲を参照する | オブジェクト名 .Range( セル範囲 ) またはオブジェクト名 .Range( セル 1, セル 2) | 通常シートを省略してアクティブシートを対象とする |
| Rows | アクティブシートやセル範囲の行を参照する | オブジェクト名 .Rows | |
| SelectedSheets | 指定されたウィンドウで選択されているシートを参照する | | |
| Selection | 選択されているオブジェクトを参照する | オブジェクト名<br>.Selection | |
| Sheets | ブック内のすべてのシート（ワークシート・グラフシート）を参照する | オブジェクト名<br>.Sheets | |

| 名前 | 機能 | 書式 | 補足 |
|---|---|---|---|
| Text | セルに表示される文字列を取得する | オブジェクト名 .Text | |
| Value | 対象のセル値を入力したり取得したりする | Range( セル範囲 ) .Value | 「= 値」で設定される |
| Visible | シートや Excel 画面の表示・非表示を設定する | オブジェクト名 .Visible | 「=True/False」で表示・非表示される |
| Workbooks | 開いているブックを参照する | Aplication .Workbooks | 引数でファイル名かウィンドウ番号を指定する |
| Worksheet Function | エクセルのワークシート関数を VBA で使用する | Aplication .WorksheetFunction | VBA で使用できるワークシート関数は限られている |
| Worksheets | 対象セルをもつワークシートを参照する | オブジェクト名 .Worksheets | グラフシートを参照する場合は Charts プロパティを利用する |

# 5 本書に出てきた主なメソッド

| 名前 | 機能 | 書式 | 補足 |
|---|---|---|---|
| Activate | セル, シート, ウィンドウ, ブックをアクティブにする | オブジェクト名 .Activate | セルの場合は、単一のセル、セル範囲のほか、すでにアクティブなセル範囲から単一のセルをアクティブにすることができる。シートの場合は複数のウィンドウの中で必ずウィンドウ番号 1 番のウィンドウをアクティブにする。マウスクリックによる選択操作と同じ |
| Add | シートを追加する | オブジェクト名 .Add | 引数により、場所、枚数、種類を指定できる（ただし省略可能）シート見出しを右クリックし「挿入」を操作した場合と同じ |
| Add2 | 並べ替えの条件を追加する | オブジェクト名 .Sort .SortFields .Add2 | Excel2016 以降に追加されたメソッド。2013 以前で使うとエラーになるので、その場合は「Add」を利用する |
| AdvancedFilter | オプション設定によるフィルタの実行 | Range( セル範囲 ) .Activate | ［データ］タブ-<並べ替えとフィルター>-［詳細設定］を操作した場合と同じ。引数が必要 |
| AutoFilter | オートフィルタの実行 | Range( セル範囲 ) .AutoFilter | ［データ］タブ-<並べ替えとフィルター>-［フィルター］を操作した場合と同じ |
| ClearContents | セルの内容（値や式）を削除する。書式は残る | オブジェクト名 .ClearContents | 書式をクリアするには「ClearFormats」メソッドを使う。すべて削除する「Clear」メソッドもある |
| Close | ウィンドウやブックを閉じる | オブジェクト名 .Close | ブックの場合引数で保存するかどうかを指定する（省略可能）［ファイル］タブ-「閉じる」を操作した場合と同じ |

付録

| 名前 | 機能 | 書式 | 補足 |
|---|---|---|---|
| Copy | セル範囲やシートをコピーする | **オブジェクト名**<br>**.Copy** | 引数により貼り付け先を指定できる。省略するとクリップボードにコピーされる<br>右クリック－「コピー（C）」を操作した場合と同じ |
| Cut | セル範囲を切り取る | **オブジェクト名**<br>**.Cut** | 引数で貼り付け先を指定できる。省略するとクリップボードにコピーされる<br>右クリック－「切り取り（T）」を操作した場合と同じ |
| Delete | セル範囲・行・列・シートを削除する | **オブジェクト名**<br>**.Delete** | 右クリック－「削除（D）」を操作した場合と同じ |
| Open | ブックを開く | **オブジェクト名**<br>**.Open** | 引数でブック名等を指定できる<br>［ファイル］－「開く（O）」を操作した場合と同じ |
| Paste | クリップボードの内容を貼り付ける | **オブジェクト名**<br>**.Paste** | 引数で貼り付け先を指定できる。引数を省略する場合は貼り付け先を選択できる<br>右クリック－「貼り付け（P）」を操作した場合と同じ |
| PrintOut | セル範囲、シート、ブックを印刷する | **オブジェクト名**<br>**.PrintOut** | 引数で開始ページ、終了ページ、部数などを指定できる |
| PrintPreview | セル範囲、シート、ブックを印刷プレビューする | **オブジェクト名**<br>**.PrintPreview** | プレビュー実行時、マクロの処理は中断する。プレビューを終了すると再開する |
| Select | セル範囲、シート、図形を選択する | **オブジェクト名**<br>**.Select** | 単一および複数のオブジェクトを選択できる。マウスクリックによる選択操作や Shift キーの併用による複数の選択操作と同じ |
| ShowAllData | フィルタを解除してすべてのデータを表示する | **オブジェクト名**<br>**.ShowAllData** | ［データ］タブ－＜並べ替えとフィルター＞－［クリア］を操作した場合と同じ |
| Show | ユーザーフォームを表示する | **オブジェクト名**<br>**.Show** | |
| Sort | データを並べ替える | **オブジェクト名**<br>**.Sort** | 引数で並べ替えのキーや方法を指定する<br>［データ］タブ－＜並べ替えとフィルター＞－［並べ替え］を操作した場合と同じ |

# 6 本書に出てきた主なステートメント

| 名前 | 機能 |
|------|------|
| Call | サブプロシージャを呼び出す |
| Dim | モジュールの先頭にあれば、そのモジュール内で利用することのできる変数を宣言。プロシージャ内にあれば、そのプロシージャ内で利用することのできる変数を宣言 |
| Do Loop | 繰り返し処理 |
| For Next | 繰り返し処理 |
| Function | 戻り値をもつプロシージャ |
| If Then Else | 条件分岐 |
| Option Explicit | すべての変数に明確な宣言を強制する。プロシージャ内に宣言のない変数があるとき、実行時にエラーとなる |
| Public | ブック全体で共通に利用できる変数の宣言 |
| Select Case | 条件分岐 |
| Set | セルやワークシートなどのオブジェクトをオブジェクト変数に割り当てる。これによりオブジェクトのコード表示などの重複を回避できる |
| Sub | 戻り値をもたないプロシージャ |
| Unload | 対象のユーザーフォームがメモリー上から削除され、関係するメモリが解放される |
| With | 一括処理 |

# 7 本書に出てきた主な関数

| 名前 | 機能 | 書式 | 補足 |
|------|------|------|------|
| InputBox | ダイアログボックスにデータ入力用のテキストボックスを表示し、入力した値を受け取る | InputBox (引数) | 引数としてダイアログボックスに表示する文字列、タイトルバーの文字列、表示する場所などを指定する |
| IsEmpty | 引数の値が Empty かどうかをチェックする | IsEmpty (引数) | 数値なら 0、文字列なら "" (長さ 0) を意味する |
| MsgBox | 警告や確認のメッセージを表示するダイアログボックスを表示し、組み込まれたボタンのクリックで戻り値を得る | MsgBox (引数) | 引数によって表示するメッセージやボタンの種類 ([OK]、[キャンセル] など) を指定できる |

# 8 本書に出てきた主なイベント

| 名前 | 機能 | 書式 |
|------|------|------|
| AfterUpdate | コントロールのデータは変更したあとに発生する | コントロール名.AfterUpdate |
| Click | コントロールをクリックしたとき発生する | コントロール名.Click |
| Change | コントロールのデータが変更されると発生する | コントロール名.Change |
| Dblclick | コントロールをダブルクリックしたときに発生する | コントロール名.Dblclick |
| Initialize | ユーザーフォームがメモリに読み込まれる | ユーザーフォーム名.Initialize |

本書の関連データがWebサイトからダウンロードできます。

**https://www.jikkyo.co.jp/download/** で

「30時間でマスター Excel VBA」を検索して下さい。

提供データ：素材・完成例データなど

●**本書に関するお問い合わせに関して**

＊＊＊＊＊＊＊＊＊＊＊＊＊＊＊＊＊＊＊＊＊＊＊＊＊＊＊＊＊＊＊＊＊＊＊＊＊＊＊＊＊＊

○正誤に関するご質問は、下記いずれかの方法にてお寄せ下さい。

・弊社Webサイトから「お問い合わせフォーム」へのご入力。

・「書名・該当ページ・ご指摘内容・お名前・住所・メールアドレス」を明記の上、

FAX・郵送等、書面での送付。FAX：03-3238-7717

○下記についてあらかじめご了承下さい。

・お電話によるお問い合わせは、お受けしておりません。

・正誤以外の本書の記述の範囲を超えるご質問にはお答えいたしかねます。

・お問い合わせ内容によっては、お返事を差し上げられない場合がございます。

・お問い合わせ受領からお返事までお時間を頂戴する場合がございます。

回答のご催促には返信いたしかねますことをご了承下さい。

＊＊＊＊＊＊＊＊＊＊＊＊＊＊＊＊＊＊＊＊＊＊＊＊＊＊＊＊＊＊＊＊＊＊＊＊＊＊＊＊＊＊

●表紙デザイン——松　利江子
●本文デザイン・DTP制作——ニシ工芸

30 時間でマスター

**Excel VBA**

2023 年 3 月 10 日　初版第 1 刷発行
2024 年 3 月 10 日　　　第 2 刷発行

●編　者　　実教出版企画開発部

●発行者　　小田良次

●印刷所　　株式会社広済堂ネクスト

●発行所　　実教出版株式会社

〒102-8377

東京都千代田区五番町 5 番地

電話　[営　　　業]　(03)3238-7765

　　　[企画開発]　(03)3238-7751

　　　[総　　　務]　(03)3238-7700

https://www.jikkyo.co.jp/

無断複写・転載を禁ず

ISBN 978-4-407-36119-3　C0004

Printed in Japan